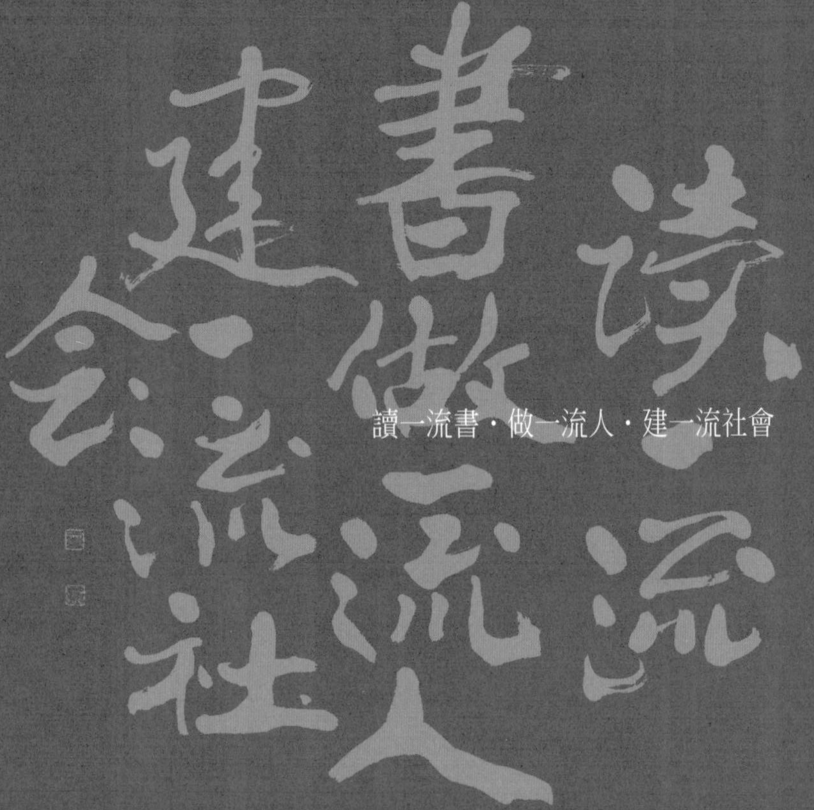

讀一流書・做一流人・建一流社會

題字：名書法家　董陽孜女士

天下文化 與您一起推動

感謝老天，我得了癌症！

許達夫醫師與癌共存之道

沒有人知道癌症是怎麼發生的，
所以，沒有任何療法能治好癌症，沒有任何藥物能治好癌症，
也沒有任何所謂的抗癌食品能治好癌症。
當你的身心靈長期受到污染後，
正常細胞為求生存，恢復成原始的幹細胞，不斷分裂，
就成了癌細胞，
癌細胞只是表現出它原始的本能而已！
我們可以去追殺幹細胞，去毀滅我們的本能嗎？不能！
所以我們要學習與癌共存，努力作好身、心、靈之修練！

許達夫醫師　著

謹以此書獻給

視死如歸的父親　許強醫師

堅忍不拔的母親　劉順娣醫師

多才多藝的四姐　許素美

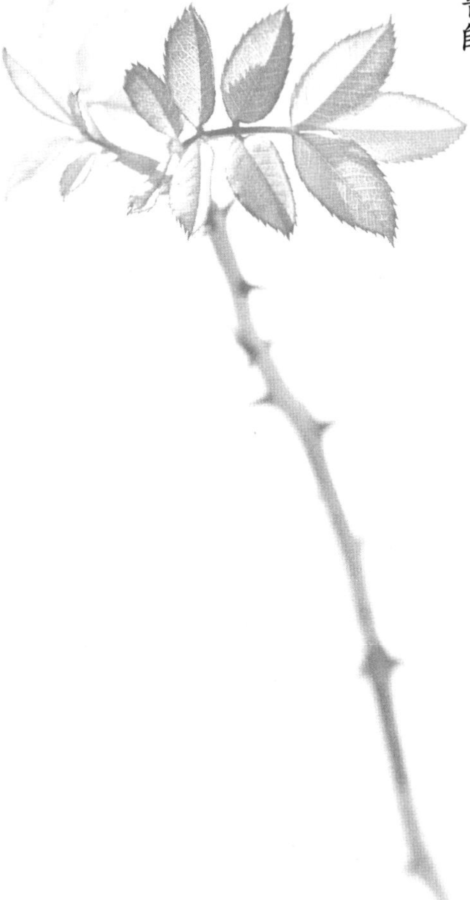

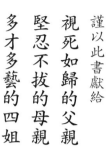

所謂「輕鬆抗癌」，「輕鬆」的道理就是一步一步來。所以，對病人要貼切，保持不即不離，慢慢來，目的是讓他們能夠放鬆。調養的方法，更應化繁爲簡，降低複雜性。譬如功法，先以一招爲主；又譬如食療，也是先以一種爲主。如果一股腦兒的給太多方法，可能會讓病人受不了，甚至模糊主題，一不留意反而容易耽誤病情。病人若病情已「重」，我們要給他「輕」的感覺，避免因爲逼得太緊而失去節奏，使病人更無法輕鬆，反而加重他們的負擔。所以，我們要清楚讓病人明白，什麼才是最主要的，讓他們能夠掌握根本。事實上，任何疾病的調養重點，最主要的就是自我鍛鍊以及反求諸己。唯有懂得反省自己因何而病，才能有所改變；唯有得到正確的方法，落實鍛鍊，才能徹底的脫胎換骨。

什麼是「抗」？其實，無所謂抗。有句話說，「抗衡」，「抗」的目的是要獲得「平衡」，所以無所謂抗。面對任何狀況，我們在心境上千萬不可有「抗拒」的念頭，而是追求眞正的「抗衡」——輕輕鬆鬆謂之「抗」，乾乾淨淨謂之「抗」，清清白白謂之「抗」，正正當當謂之「抗」。因此，「常」態中保持「長」態，在「長」態中保持「平衡」，而不是在「拒」上花功夫，如此才能避免不必要的紛亂與爭執，也才能在平和的狀態下，達到眞正的平衡。

什麼是「癌」？癌因火而造成。火有兩種，一種是心火，一種是身火。二者加在一起，火火成炎；炎累積久了就形成所謂的「癌」！所以，「抗癌」要從根本去處理。什麼是「根本」？就是當下開始鍛鍊，使身心兩方面都不會起火，不起火就不生炎，於是逐漸炎消。如何才能不起火？最重要的還是靠自省、自悟、自強、自制的功夫，唯有如此，才能達到自我調整的高度領域和境界，做到完美的「輕鬆抗癌」！

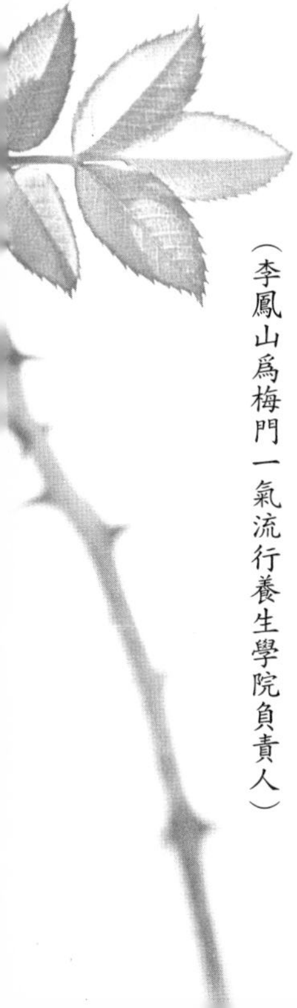

（李鳳山爲梅門一氣流行養生學院負責人）

目錄

第1章 我的故事

第2章 抗癌的正確觀念

第3章 你所不知道的醫療眞相

第4章　癌症雞尾酒自然療法

第5章

成功與失敗

序

恭喜你得了癌症

李豐病理中心負責人　李豐

許達夫醫師與我有很多類似的地方。

首先，我們都是資深的醫療工作者，各有專精，他專精的是腦神經外科，我專精的是細胞病理。然後，我們都有求好心切，工作狂熱的性格，結果，我們也都前後不約而同地患上癌症，雖然他患的是大腸癌，我患的是淋巴癌，面對死亡的威脅都是相同的。更難得的是，他勇敢地的選擇與癌細胞和平相處，不但成功而且將會很快樂的活下去。想我當年選擇放棄治療，（請參閱我的近作《我賺了三十年》）並與癌細胞和平相處，倒是帶著幾分無奈，幸運地，我也將會很快樂的活下去。

之所以我們兩個醫界的叛徒，得了癌症，選擇不作正規的西醫治療，而能與癌和平相處，並將快樂的活下去，那是因爲我們兩人都有自我反省的能力，得病之後，便努力找出飲食上的盲點，生活上的盲點，或者心理上的障礙，並很徹底的做生活上的修正，或者心理上的轉念，堅持下去，結果竟然是：身體的健康反而獲得改善。

許醫師的情況，也有與我不同的地方。

許醫師在癌症治療只做了三分之一的時候，就毅然喊停，身體的傷害比較少，復健起來比較好。我是在做治療做到無法做下去才停，身體損傷嚴重，所以即使現在，還在承擔放療化療的副作用。

許醫師有幸在治療之初便得逢氣功大師李鳳山師父，而且很快學而有成。氣功的有成，使他在體力及免疫力方面，有了很大的進步，這也間接使他在選擇與癌和平相處的路上，有了更多本錢。我雖然也長期做瑜伽與靜坐，到底效果來的慢，這是我特別羨慕許醫師的地方。因此我也常常對病人建議就近在住家的城市找尋練氣功的管道。任何氣功，只有持之以恆，必有所獲。

常常，當一個癌症病人來找我諮商，我們談完了該如何建立善待自己細胞的方向時，我會恭喜他得了癌症，對方的反應當然會愣在那裡，以為我在開玩笑，然後我說：「如果你不患上癌症，我建議你吃素，你願意嗎？我建議你晚上十一點以前睡覺，你願意嗎？我建議你每天運動兩小時，你願意嗎？我建議你放下工作的狂熱，減少對名利的追求，你願意嗎？……」

當然統統不願意。

所以，癌症雖然是很負面的事件，但是，對身體而言，卻是危機變成轉機的契機。

許醫師，恭喜你得了癌症。

序

化煩惱爲菩提

南華大學人文學院院長暨生死學研究所所長
慧開法師

大約二年前，我透過自己所指導的生死學研究所碩士班研究生曾玉芬同學認識許達夫醫師，玉芬的碩士論文題目是「醫師尋求另類療法之研究」，而許達夫醫師是她做深度訪談的個案之一。經由玉芬的介紹與安排，我親自到許醫師所服務的台中林新醫院拜訪他，聆聽他的治癌經驗。許醫師的醫學專業素養，以及他的直爽、豁達、堅持理念與擇善固執，令我十分激賞。

之後，我又邀請許醫師來南華大學，在第四屆「現代生死學理論建構學術研討會」（九十三年十月十六日）上做了一場專題演講。許醫師以一位資深腦神經外科醫師，同時也是第三期大腸直腸癌患者的雙重身份，現身說法，和與會聽眾分享他切身的治癌經驗與生死交關的心路歷程。

如今，許達夫醫師將他三年來「與癌共存」的治癌經驗，化爲文字，集結成書，囑我爲本書寫一篇序文，我欣然應允。許醫師用自身生死經驗所寫成的大作，對癌症病友而言，不啻是一劑甘露醍醐與一篇醒世福音。許醫師不落窠臼，不掉弄玄虛，不空談醫理，不隱瞞事實，所言所論皆是他的實地親身體驗。

而最爲難得的是，許醫師將抗癌的過程，從對治疾病的醫療層次，提升到生活哲學與身、心、靈修練的生命境界。佛典云：「菩提不障煩惱，煩惱即菩提，菩提即煩惱。」世間的一切疾病，追根究柢都可歸結到衆生內在的無明煩惱，透過己身的三業（身、口、意）與六根（眼、耳、鼻、舌、身、意）而發作，因此疾病的對治，醫藥只是輔助，欲維持身心的健康，還是必須回歸到自我身心的轉化與提昇。許醫師在本書中所揭示的「與癌共存」治癌經驗，不僅是治病保命而已，更是「化煩惱爲菩提」的消災延壽法門。願所有的癌症病友，都能因本書的啓示，突破疾病的葛藤與迷霧，找回自己的健康幸福人生。

序

體驗自癒力的力量

梅襄陽
全球華人防癌長鏈倡導人

許醫師在書中寫道，要發大願終身奉獻給癌症病人，終身爲社會大眾之健康奔走，終身爲提倡自然療法而努力。此願非同小可。說實在的，當今沒有幾個醫師敢站出來爲癌症病人的權益說幾句公道話，而未來還會有許多人得到癌症，他們將何去何從？如何在康復之路上做出一個正確的判斷與選擇，許醫師的書將是一個非常重要的參考指南。

身爲人類必須理解，我們不僅只是這個肉體，還有許多精細的能量體。自然醫學的「排毒、滋養、再生」就是幫助大家從不平衡調到平衡，將廢物排出去必然會發生的一種現象，稱爲好轉反應（healing crisis），有興趣的讀者可參考《琉璃光》雜誌八十七年八月號裡的一篇文章「生命的洗禮——癌症的康復」，必然能有所領悟。

順便在此一提，美國羅耀拉（Loyola）大學生物系主任梅納（Harold Manner）曾提到：「近年來對癌症病因的觀點，已從病毒、致癌物質或傷口感染引起的舊觀點，有了新的評估。愈來愈多的科學家認爲癌症是由於代謝問題所引發的複雜病因。它是隱伏性的疾病，與整個身體機能從神經系統、消化道、胰臟、肺臟、分泌器官、內分泌系統到整個免疫系統有關。病人在接受了主流醫學的手術、放療及化療後復發，是因爲最根本的（身心）代謝病因從來沒有受到重視，以至於沒有獲得改正或治療的緣故。」這篇論述，一則證明許醫師在書中所提的正確性；二則提醒了醫界同仁應要察覺現行癌症治療上的一些缺失。

達夫兄將其生病經驗以寶貴的文字呈獻給世人，書中除了眞眞實實的體驗外，其感恩、懺悔、發願、迴向的大菩薩心更是躍然紙上。期盼讀者諸君能迅速將此書廣傳，讓更多的人結此善緣，化危機爲轉機，一起體驗「自癒力」的力量，這樣瀕臨破產的「全民健保」就有救了。

本書出版，世人之福，影響力之大無法估量，很高興台灣有這麼一位睿智率直的醫師，講出了許多人內心的話。做爲「防癌長鏈」的終生志工，在此獻上深深的祝福，祝大家皆能少病少惱，身心自在！

序

化癌爲愛

周大觀文教基金會創辦人　周進華

看完許達夫醫師的大作，讓我更加懷念愛子周大觀以及他已被翻譯成十三種語文暢銷全球三百六十七萬多冊的遺作《我還有一隻腳》。

還記得，八十六年二月十七日下午五時三十分，台大醫學院教授林凱信、醫院小兒外科主任賴鴻緒、骨科主任楊榮森、血庫主任林東燦以及小兒腫瘤科醫師周獻堂、陳志成、楊全木、護理長曾紀瑩等，就大觀病情召開了一個決定性的醫療評估會議。大觀要求出席會議。

當天下午，大觀比平常更爲冷靜，當我們推著輪椅帶大觀進入會場，在場所有醫護人員給予大觀熱烈的掌聲。這是一場評估大觀生死的會議，我們緊握大觀的手，心情比大觀還緊張。

會議中，就大觀的檢查報告、病理分析，評估切割骨盆的可行性。由於手術牽涉到內臟的移位，而臟器是最容易感染細菌的組織，因此醫師們做出最後的共識。主持會議的林凱信教授說：「醫學技術的出發點是爲了讓生命更美好，如果痛苦的療程已不再具有意義，接受安寧走向人生終點，要比接受無意義的治療忍受痛苦，更有人性。」醫療小組獲得的結論是——即使再開一次刀，也無法徹底切除癌細胞，爲了維護病人的生命尊嚴，不再開刀了。

不再開刀等於宣佈死亡，坐在大觀身後的媽媽已經控制不住悲傷的情緒，幽幽哭泣。

大觀轉過身，拭去媽媽臉上的淚水：「媽媽，不要哭！掉再多的眼淚，癌症惡魔也不會同情我們。」

之後，大觀回過身子對醫師說：「醫師叔叔、伯伯、阿姨，我尊重你們的建議，不要再開刀了。不過，請你們告訴我，我還能活多久？」

主持會議的林凱信教授楞了幾秒鐘，眼眶也不禁紅了起來。

「大觀，我們是醫師，不是上帝，我們不能告訴你還能活多久。就像你寫了那麼多美麗的詩篇，上帝什麼時候帶走你，我們也不知道。」

「癌細胞最後會死掉嗎？」大觀又問。

「癌細胞最後會死掉，而你寫那麼多動人的詩歌，你將活著被上帝接走。」

大觀沉默了幾秒鐘，突然舉手。

「我還有一句話要說，醫生叔叔、伯伯、阿姨，謝謝你們這段時間對我的照顧，你們已經盡力了，所以我要謝謝你們。」

會場一時安靜下來，空氣中凝結著悲傷的情緒，許多醫師、護士都紅了眼圈，有人甚至流下淚來。雖然醫護人員在醫院裡面對生老病死已習以爲常，但是，他們仍忍不住心酸，爲這個懂事、讓人心疼的孩子。

回到病房裡，大觀與我們討論往生後的事以及成立「周大觀文教基金會」的初步構想。

「爸爸！媽媽！如果有一天我走了，你們一定要帶我回家。這樣，我就可以看到爸爸媽媽和弟弟了。還有要把我的故事傳出去，讓更多癌症病人勇敢面對癌症、堅強地活下去……」

從抗癌小詩人周大觀到抗癌大醫師許達夫，都透露了來自癌症的訊息：

「我們要學習與癌共存。」這是生命最重要的身心靈整體功課。非常感謝許達夫醫師挺身而出，現身說法，反省致癌原因、提出正確觀念、揭發醫療眞相、肯定另類療法等等，在在撞擊已制式化的現代醫療科技，驚動多位先進醫療大師，亟盼激發更多智慧的火花，大家一起點亮癌友的希望。也感謝天下文化出版社慧眼識英雄，出版本書，分享癌友的希望。最難能可貴的是，許達夫醫師發大願、做大事，要把餘生奉獻所有癌友，三年多來，已陪二千多位癌友走過死亡蔭谷。多麼企盼大家人手一冊，一起讀出癌症的秘密，也讀出癌友的心聲，更讀出許達夫醫師化癌爲愛的生命故事。

序

提昇免疫力，防病於未然

呂鋒洲
中山醫學大學應化系講座教授
前台大醫學院生化研究所教授兼所長

每一個罹患癌症的病人，會各自選擇不同的治療方法，有的完全遵從醫師的指示，立即開刀和放化療；有的求神問卜；有的選擇自然療法。個人的際遇不同，治癌成效也不同。本書講的是一位資深腦神經外科醫師罹患直腸癌後，毅然決然選擇接受自然療法抗癌的感人故事。

作者許達夫醫師有二十年臨床行醫經驗，至少動過一萬例腦部手術。他對正統醫療、醫院內幕，醫師思維、疾病分類、治療效果皆瞭若指掌；而且他的親朋好友也大都在醫界服務。他爲何不聽從長輩親友的建言，開刀治療，而執意選擇不爲西醫認同的自然療法呢？這個疑問各位讀者一定會在這本書裡找到解答的。

許醫師在書中多次提及他師父的話：「心中有主，主就是主張」、「自己決定，就可以發揮無窮的力量」、「無懼，也就是不用害怕，當你無懼時，反而更堅強更積極」、「每天告訴自己，生命非常可貴，一定要活下去」。也許這就是他堅持選用自然療法的原動力吧。

他的癌症治療四大秘方是：喝優質電解水、吃素、練功和發大願。很少有人能夠像他一樣有勇氣、智慧和毅力做這樣的決定。他以十分嚴謹的態度告訴所有癌症病人三件事：

一、癌症不是局部或某器官的病，而是全身的病，更是心靈的病。

二、要一輩子學習與癌共生存，做好心靈的修練。

三、自然整合療法會帶給您無限的機會。

「三年前由於自己的疏失，罹患了大腸癌第三期，在經過醫院完整的放射治療之後，也經歷了癌症病人所會有的恐懼與害怕，更面對過生死的威脅，在反省懺悔中選擇了自然療法後，腫瘤不僅在不到一個月內完全消失，所有症狀也好轉起來！三年來腫瘤居然不見了……」，這是一位腦神經外科名醫的肺腑之言，他抗癌的心路歷程是多麼的感人啊！

許醫師擁有懺悟虛心的心情、誠心求教的心胸，三年來各處走訪農場、實驗室、工廠、研究單位，與多位科學家、醫師、養生修行家、工程師等人當面請教後，發現許多有心人士的用心，三年中，他接觸了大約二千位癌症病人，更從他們的身上學習成功與失敗、痛苦與決定等人生智慧。他是一位悲天憫人、胸懷廣大的名醫，實在令人欽佩不已。

他從三年來所學習的經驗，讓他首創「癌症自然雞尾酒療法」，這也是本書的重點之一。許醫師認爲「自然療法講究的是遵從自然法則，注重身心靈之修練，讓病人從內心穩定起，發揮出無窮的潛力，而達到自然的療效。自然療法注重的是如何提高人體的免疫力，如何發揮自癒力，所有會破壞人體免疫力或自癒力的治療都要被拋棄」、「癌細胞原本是正常細胞，因爲人體被污染了，正常細胞長期浸潤在有毒的環境下才突變的，所以說是因爲人體自律平衡與自療系統先被破壞了，癌細胞才會發生。如果採用對抗式的醫療繼續破壞人體的自然能力，縱然能達到暫時的療效，但長期而言還是會失敗的」、「罹患癌症之後，如果我們努力做好身心靈修練，把身體淨化了，免疫力提昇了，癌細胞不是乖乖隱藏起來，就是自己逆轉回來，不然就只好自動凋亡。」

以上的話都是他獨特創新的見解，對癌症患者具有非常大的鼓舞作用。此外，在書內還有許多名言至理，可以讓讀者細心詳讀和思考。這本書不僅可以提供癌症患者治病的另一種選擇，而且也可以提供給其他疾病患者，甚至於健康的人學習養生去病、長壽的寶貴參考資料。

近年來國內學界、醫界均逐漸體認保健醫學不能囿於現代醫學之框架，必需融合自然醫學，全面建立疾病之防護網，始能有效提昇人體免疫力，防患於未然。本人致力於預防醫學研究多年，其中如自由基與各慢性疾病之關係及其病理機轉，均有專著論述，許醫師在書中也提到利用電解還原水可達到消除自由基之目的，本人於八十四年採超微量發光法首先證實其效益，可謂最經濟有效的方法。

近年來國內外學界更發現，還原水不但可消除自由基，更可防止DNA受自由基之破壞，印證了我的學說；八十六年國際性生化學術雜誌（BBRC）也證實，還原水可以抑制癌細胞之生長。關於電解還原水在健康上的效益學說，請參考《健康世界雜誌》（八十四年五至七月）多篇論文。最後，相信本書之推出，能對全民保健觀念的推廣有更大的助益。

序

毅力、理性、活出自己

許須美
台大公衛學院兼任副教授
衛生署技監

民國九十二年元月，才五十出頭正當事業頂峰的達夫弟得了直腸癌，聽到此一消息，我震驚不已。他五個月前曾大便出血，但以爲痔瘡所致，又忙於醫務，後因又多次出血才就醫證實。當時我們姊妹均不敢告訴已高齡九十的母親，她鍾愛的獨子生病的事，一直到她九十三年四月十五日過世。

達夫弟打電話告訴我，他在和信治癌中心住院，我立即帶了一些吃用的東西趕去，弟弟還很理性告訴我他已計畫身後事，並要求主動參與醫療團討論自己的病情。弟媳將孩子託給親戚，即一路從台南開車跟隨生病的丈夫北上，展開辛苦的照顧工作，所幸弟媳是護理背景，她的專業與賢慧讓我敬佩與感謝。

弟弟經過放射線治療後一個月回診，腫瘤不見，癌相關指數恢復正常，本來要進行手術切除及造人工肛門，但他告訴我這段時間他閱讀了很多資料、書籍，也訪談了很多人，在分析手術利弊後決定不開刀，雖然我及夫婿力勸，然弟弟表示此一決定是經過深思熟慮的，他要自己主宰自己的未來。在本書中他清楚描述生病歷程、心念轉折、反省調整，亦感受到他的抗壓與堅持，置死地而後生，大徹大悟，面對生命重新生活的喜悅，不禁讓我感動。

弟弟生病近四年了，他積極面對人生，亦努力協助癌友，鼓勵他們要如聖嚴法師所言，面對危機要「面對它、接納它、處理它、放下它」，杜絕身外污染與內心之負面情緒，要積極面對，做最大的努力。發大願可以忘記癌症，引導正面思維，因而提升免疫力，也就是奉行「天助人助不如自助，自助之後才有人助，才有天助，如能更上一層樓，自助又助人，你將會發現大病變小病，小病變無病」。積極樂觀，做身心靈的修練，與癌共存。

本書也談到醫療品質，強調要「醫病也要醫人」，要有眞正的醫療團隊提供病人每一治療詳細的說明，而病人也要在檢查及手術前問清楚。我們知道醫師與病人在醫學知識上是不對等的，病人很想瞭解自己的病情及預後，但醫師常因病人太多而分身乏術。近年來衛生署也積極的推動全人照顧、病人安全、限制門診量、改善醫療評鑑，希望提升醫療品質。我們期待從制度面、醫療提供者，以及醫療消費者三方面共同努力，以建構好的醫療環境，造福台灣人民。

序

抗癌成功的典範

賴基銘
國家衛生研究院行政處處長
台灣癌症基金會執行長

我認識許達夫醫師是在我服務長庚醫院的時候，他當年還是腦神經外科的住院醫師，給我印象最深刻的是，他那特立獨行與擇善固執的骨氣，這人格特質也充分反應在他的抗癌歷程所做的堅持。

許醫師來自醫學世家，也是名門之後，其家族在醫學界扮演舉足輕重的地位，但在罹患癌症之後，除了早期接受正統治療（同步化放療）之外，後半段治療選擇癌症的輔助療法，雖然與正統醫學的建議背道而馳，但卻迎合走向最新的癌症整合療法，這就是他異於常人的膽識。

癌症的治療目前已逐漸走向整合性療法，也就是除了正統治療以外，還搭配輔助與替代療法（Complementary and Alternative Medicine, CAM）。以美國為例，CAM包括各種維他命、生物免疫製劑、冥思、打坐、氣功、按摩、音樂、芳香劑及一些草本植物、中藥、印度醫學等，儘管琳瑯滿目，但還是講求科學根據及臨床試驗的驗證。這一門學問，目前正方興未艾，許醫師不假遲疑，以獨到的眼光及選擇，身體力行，劍及履及，終於成為抗癌成功的典範。

不過癌症治療絕對因人而異，即使同一種癌症在不同的病人，其自然的演變過程及治療結果也完全不同，因此許醫師的治療方式以及他成功的經驗是值得做參考，但不是可以完全效法，也就是說許醫師書中所提的「拒絕化療與手術」，在他的情況是可以被接受的，但在其他病人身上卻不能模仿。我建議所有癌症病人都應該遵循有經驗的醫師的建議，按部就班接受治療，並承受可能帶來的「短暫性」的痛苦，如果全面放棄應有的正統治療，而捨本逐末去追求各種CAM，將會帶來無法預期的後果。誠如許醫師所言，有科學根據的CAM確實可以彌補目前癌症正統治療的不足，許醫師成功且輕鬆的抗癌歷程，正好說明CAM在消滅殘餘的癌細胞及抑制可能存在的微小轉移的功效。

目前應用在癌症的CAM，其理論根據已逐漸明朗，至少已呈現的科學根據是透過分子靶點的調控：包括誘導癌細胞良性分化、促進凋亡、阻斷血管新生、調控癌細胞分裂周期與訊號傳遞及免疫調節等；蔬菜水果的抗癌功效，就是透過上述的分子靶向作用來達到抗癌的效果，目前充斥市面各種抗癌保健品及輔助療法，都應被嚴格檢定其科學根據。其他還有不是很明確的理論，譬如生活規律、輕鬆無壓力、大量飲用優質水及勤練氣功等，問題在於如何巧妙搭配，本書作者提供他獨特的經驗，值得大家參考。

許醫師能以個人的體驗及醫師的智慧，挺身而出，寫下本書，對於在台灣多年推動癌症整合療法的我而言，絕對是擲地有聲，確實值得癌症病人及家屬一讀再讀。

序

最好的外科醫師

林承箕
台北完全優診所院長

同道許達夫醫師出書了，爲他高興！爲他喝采！

同道，因爲他跟我都是當今主流醫學（西醫）道上的實證醫學醫師，且都行醫超過二十年了，但我們又都是新的「同道」：不約而同地採取了一些一般西醫不大瞭解，甚或不太苟同的整合或輔助醫學療法來服務病患。

一九八六年，一篇報告顯示影響美國人七十五歲以前十大死因之四項因素及比率分別是：遺傳，約占百分之二十（二〇．一%）；環境，約占百分之二十（二〇．三%）；生活型態（飲食、運動、休閒……），約占百分之五十一．二七%），而醫療照護、健康服務，我們正統（西）醫界所提供的，竟然只占百分之十（其實只有八・四%）。這結果值得大家重視、深思及反省。

當今主流西醫愈來愈進步：醫生愈來愈多、醫院愈來愈多、愈來愈大、新的診斷儀器愈來愈多、新的治療方法及藥物愈來愈多，但家家醫院門診部還是門庭若市，病房都床床客滿……，醫學愈進步，應該讓民衆更健康、更遠離疾病才是，爲何適得其反？爲何醫學對人們健康的貢獻還不到百分之十？西醫教育可能過分注重以對抗療法爲主的「治久病的下醫」醫學，卻少重視以自然醫學的方式推行「治已病的中醫」，進而「治未病的上醫」的觀念與教育。

許醫師，一位優秀的外科醫師，過去用傳統的西醫方法，挽救了無數病患的健康，但自己的健康卻不及格，他悟出「生活型態影響健康最鉅」的道理，竟然放棄自己過去所熟知、力行的西醫對抗療法，改以吃素、平甩功、喝好水、正向思考等方式，親身實證了自然醫學療法和生活方式對改進健康的鉅大效果。現在更將這段心理歷程及心得出書。希望大家閱讀後，癌症病友有更大的信心，用對方法來面對疾病，一般讀者也能據以實踐，增進健康，而醫界朋友則能改變思維及行醫態度來服務病患，朝「上醫」努力。

在醫學院讀《外科學》時，老師說：「最好的外科醫師是儘量能不要開刀就不開刀的醫生」。由這本書可看出許醫師的外科境界了。許醫師，我為你高興！為你喝采！

序

視病如親，堅持理念

中華民國與和健康管理協會理事長 賴連金

在旅居日本近二十年中，深深地體認到日本人平常飲食講求清淡，注重身體保健，加上重視衛生習慣、生活環境良好，難怪平均壽命高居世界第一。反觀台灣，雖然社會繁榮，餐廳林立，可惜國民生活品質並未因而提升，一般人飲食習慣多重口味、多油、多大魚大肉，少高纖食物，加上生活日夜顛倒、缺乏保健觀念，直到罹病時，才忿忿不平的問：「爲什麼會是我？」

我很幸運地因事業和工作關係認識了心存慈悲、視病如親的許達夫醫師，在他的鼓勵與支持下，結合了醫藥界多位專業醫師學者，成立了「中華民國與和健康管理協會」，積極宣導保健養生的正確觀念。我曾多次與許醫師討論，最讓我感佩的是在醫德日下之際，他卻能以出世精神，從事入世工作，不分日夜，手機二十四小時開放接受患者的諮詢，照顧所有認識或不認識的病患。

許達夫醫師也是「中華民國興和健康管理協會」之常務理事，因此這些年來許醫師義不容辭多次受邀主講健康專題講座，在演講中，他常講到有許多同病相憐的患者，過去曾經和他一樣是不信邪「鐵齒組」的成員，如今因他自己罹患大腸癌，以過來人的身分站出來，強調預防重於治療，身體保健的重要性，所以讓患者都能感同身受。

雖然許達夫醫師被台灣醫界視爲異類，偶遭同業非議或排斥，起因於他反對許多現行醫界中不合理的現象，如輕率手術、用藥氾濫、問診草率、只求業績不問病情需要與否、醫療過於商業化等，但他仍能堅持理念，不因流言而動搖，以樂觀進取的態度從事「懸壺濟世」的偉大志業。而且許醫師自律甚嚴，不因藥商提供豐厚利潤而推薦不良品，所有產品都親自深入瞭解對人體有無副作用後才介紹患者使用，值得敬佩。

祝福許達夫醫師的新作出版成功，也祈願讀者因拜讀此書而遠離病痛。

序

發揮宗教家精神的醫師

香港國際癌病康復協會會長
盧繼徽

我認爲許達夫醫師是一位勇者。罹癌之初他也有過恐懼，但住院期間他大量研究有關癌症的資訊，最後終於放下心來，因爲「癌症未必是死路一條」。他認爲傳統西醫提供的化、放療和手術只是在治標而已，「……癌症短時間的消失，不久之後又復發了，復發後西醫就束手無策了，他們只好提供各種毒藥（即所謂化療）來治療，其實醫師都知道化療只是拖延時間而已……」，於是他決定不開刀。當一位瞭解化、放療的醫師兼癌症患者做出這樣的決定時，是值得我們探討與注意的。

這位至少動過一萬次腦部手術的台灣腦神經外科名醫，自述曾經在夢中驚醒：我手上這把手術刀到底救過多少人？殺過多少人？生病讓他大徹大悟，深深體會到生命的意義，懂得珍惜、感恩，接下來他不遺餘力尋求種種輔助與替代療法（CAM）的自然療法，自己體驗，也與眾多癌友分享，雖然目前只渡過了三年多時間，不能叫做痊癒，但是這種宗教家的精神——發大願要一路走下去爲癌症病人服務，直到最後一天；大力推廣「自然醫學診療中心暨希望病房」——值得我們讚許與欽佩。

本人在國際癌病領域十五年的時間裡，就是在推廣整合輔助醫療——除了正規的西醫治療以外，也採用其他許多對癌症病患有幫助的療法。在日本、台灣、東南亞以及澳洲、美國，實際看到許多例證：愈是能接受整合輔助的概念，就愈能輕鬆對抗癌症；雖然不能保證一定會痊癒，但是生活品質會獲得一定的改善，也減少許許多多不必要的痛苦，以及延長生命。這也正是香港國際癌病康復協會的目標與責任。

序

上醫、中醫、下醫

林建發
中華民國電解水發展促進會理事長

《皇帝內經》云：「聖人不治已亂治未亂，不治已病治未病，夫亂已成而後治之，病已成而後藥之，譬猶渴而穿井鬥而鑄錐，不亦晚乎。」這是預防醫學的最好註解。而古代中醫又分三種等級，上等醫生治未病，中等醫生治已病，下等醫生治久病。我所認識的許醫師是一位非常資深且優秀的現代醫學專家，經歷過這一次癌症的折磨之後，角色互換由醫師變成病患，從中學習，領悟到事出有因，也就是因果論，今日種的因將是明日結的果，欲知前世因今生受者是，欲知來世果今生做者是，十幾二十年前你如何對待你的身體，十幾二十年後它將如何回報給你。很多事不一定要親自嘗試，多聽、多看、多反省、多瞭解，健康其實不是難事。

有人預估二十多年後人類平均壽命將可能延長到一百歲，但如果延長的壽命是躺在病床上或凡事須仰賴他人照料的不堪用歲數，那只是痛苦的折磨罷了。由一位曾經是癌症的患者，又曾是受過正統醫學訓練的專業醫師分享健康的喜悅，由中等醫生向上提升爲上等醫生，爲有緣閱讀此書者提供一套正確養生、健康、長壽的秘訣，是你我的福份及修爲。

序

一位捍衛眞理的戰士

胡保華
澳洲愛加倍公司ATP細胞食物產品全球總顧問

第一次見到許醫師竟然就一口氣分享了將近六個小時的心得。從他的求知若渴與實事求是的態度中，我感受到他不僅是在爲癌症病人尋求良方，更是在以自己的生命見證，拚命擊打那暮鼓晨鐘，希望能喚醒長久躺臥在陰暗角落的人性良知與良能。

我知道台灣還有許多的許醫師，我希望你們能一起站起來，爲大家開闢一條又新又活的生命之道。

序

因書療癒，眾生得望

董逸璞
仁璞健康自覺實修會創會人

看過諸多癌友嘗盡折磨，有因心理調適困難而自我封閉者；有因療方不當而提早撒手人寰的；亦有原被宣判僅餘數月生命、活命無望的卻反而活得精彩開朗！

檢驗這些案例，發現影響痊癒成效箇中最大因素在心理。獲得控制、改善，甚或痊癒者多是反省力較強、意志力堅定、信念清楚、不畏懼改變、執行力徹底的人。反之，則是表現慌亂、聽信偏方、不堅定、意志頹喪、自我放棄求生信念的。

其實較之罕見疾病充斥的現代，癌病已是最不可怕的。就像慢性病一樣，只要用對方法（諸如正面思維、提升生命意念、生活作息正常、飲食調整、練功、呼吸運動、營養輔助等等多管齊下），痊癒案例大有人在，可為參考借鏡。

病過方知病中苦。許醫師以自身的經驗，集整出書利益眾人，可以預見將有更多病友因之獲得更好的資訊啓發與覺醒。衷心期盼，世人都能從病苦中脫離，見到重癒的光明希望。拭目以待！

序

合乎人性的自然療法

蜜立恩生醫科技總經理　吳剛

許達夫醫師是我非常敬佩的醫師，他本身是大腸癌患者，以自身的抗癌經驗與心得去幫助其他癌症的病友，有如佛經上地藏王菩薩所言，地獄不空誓不成佛的精神。

現今癌症治療路徑不外乎化療、放療及手術切除，其所造成病患身心的壓力及痛苦，相信所有經歷過的患者及家屬均有切膚之痛，但也似乎別無他法。難道我們除了以對抗療法來治療癌症外，沒有任何其他更自然且合乎人性的治療方法嗎？老子言：「人法地，地法天，天法道，道法自然」，宇宙運行的自然法則，也可應用在醫療上嗎？

生物能治療系統是中國針灸經絡理論與西方同類療法完美結合的能量醫學，是一種現代自然醫學的方式，用「生物自體共振」的醫療方式，藉著人體自有的微量磁場之振盪和返回的方式，引發人體的自療能力。看到許醫師採用整體醫療的方式並配合生物能的共振治療，能夠幫助癌症病患減輕痛楚，增進其生命的品質，我覺得非常有意義。許醫師悲天憫人的情懷及採用整體自然療法的方式，絕對是未來的趨勢。

疾病是我們身體的一部分，我們應該和它們共存而非去消滅它，癌症的治療就生物能療法而言即是試圖去重建它的平衡狀態。許達夫醫師在醫療的道路上選擇一條最困難的道路，其艱鉅可想而知，因而我的使命亦即是協助自然療法的醫師，提供他們更多更先進的資訊和工具去幫助造福癌症的病患。

序

良知與勇氣

中華民國有機蔬果推展協會顧問
秦家偉

從事有機蔬果推廣數年，過程極爲艱難歷程，從極少數人的響應，一直到了今年終於取得國家有機農業政策強力背書，對個人及所有有機「死忠者」，莫不歡欣鼓舞，猶如公理的伸張，宛若遲來的正義。回想在這些年來，攜手共同營造理想國度的鬥士裡，不乏能人異士，每每在榨擠生命資源、極盡乾枯破產，仍執著不肯稍忽放棄「救人、救台灣」的理想。其中有一位同盟人士應特別被廣大民衆認識而且景仰。

認識許達夫醫師，就覺得他是一位了不起的鬥士，知道他曾受癌症之苦，就特別感到不忍，因爲一般人得病後都會寄望於醫生，而醫生得癌症卻深知醫學難救，卻能堅毅活下來，更戰勝病魔。除了佩服他的鬥志外，更欣賞在他以醫生之身分，勇敢向整個醫療體制宏大的力場大聲宣告，用非醫療方式（如氣功、營養飲食法、自然療法）救治自己的勇氣。從走出癌症到成立自然醫學中心，企圖喚醒醫界良心與國人的信心。

與許醫師長談之後，深深慶幸，更證明了醫食同源的理論，鼓勵國人以自然、非科技的生機療法，透過三餐飲食，達到更有效的抗癌、抗衰老的神奇成果。從今天起，我們生機界擁有了更巨大的力量，可幫助更多人藉由有機與生機來調整體質到遠離病痛，而威脅國人最可怕的死亡原因——癌症，將不再是絕症。

自序

心念轉變，輕鬆以對

當我知道自己罹患癌症時，反應跟多數人一樣，首先是不平：「怎麼會是我？」接著是害怕：「我快死了！」許多癌症病人自認健康狀況一向不錯，又沒做過虧心事，還有很多夢想待完成，人生還來不及享受，聽到醫師的宣判實在不甘心，覺得上帝太不公平了，於是充滿著「怨」，另一方面又對死神的逼近「怕」得不知所措、六神無主，結果病急亂投醫，不假思索立刻同意手術、化療、放療，恨不得立刻把腫瘤切除，把癌細胞殺光光，以為可以因此得救，遠離死亡。

但是你想過嗎，癌症究竟是怎麼發生的？為什麼會發生在你的身上呢？又怨又怕的你或許根本沒想到要自省，但這不是你的錯，因為連醫生也無法回答這兩個問題，只能趕快把它切除或者毒死，希望這樣能救你的命，結果目的達到了嗎？如果達到了，為什麼癌症還是十大死因之首？台灣地區每八分鐘就有一人發生癌症，每天有一百二十人死於癌症，顯見目前的癌症治療是不完美的、是有缺陷的。

既然治療方法不完美又不保證，你一定會想：「那我不是死路一條了？」當然人生最終本來就是死路一條，只是死有先後而已。如果此時你還是怨天尤人，整天愁眉苦臉、茶飯不思、失眠煩憂，那眞是死定了。相反的，如果你能釋懷、看開，既來之則安之，正如聖嚴法師說的：「面對它、接納它、處理它、放下它」，情況就會大不相同。我會這麼說，因爲我既是一位與你同病相憐的癌症病人，也是一位醫師，我的現身說法，相信有可供你參考之處。

當我確定罹患癌症後，有四十八小時腦筋是一片空白的，六神無主，茶飯不思，但是當我清醒過來後，第一件事就是寫下遺囑，之後就專心到醫院準備接受治療。住院期間我沒有躺在床上自暴自棄，而是馬上找來各種癌症相關書籍，大量閱讀，我發現竟然有如此多的抗癌鬥士，也有數不清的治療方式。等我知道愈多有關癌症的資訊時，我就愈放心，因爲我覺得前方未必是死路一條，選擇似乎還不少。

在病床上，我開始回想以前的臨床經驗，最後豁然開朗，原來癌症只是一種慢性病而已，不會致人於死，人會死於癌症是因爲自身免疫力降低之故，而免疫力降低是來自於恐懼、沮喪、失眠、營養失調，以及治療的併發症等等。癌細胞原本是正常細胞，因爲長期浸潤在有毒環境裡導致變性。有毒環境可能是飲食、水、空氣等，因此防癌之道首在改善有毒的環境。化療、放療、手術都只是在治標而已，如果致癌環境不變，就算暫時殺死了癌細胞，遲早還是會復發的。

我從發病（大便出血）迄今已近四年，開始治療到現在也有三年半了。這期間不斷獲得新資訊，也不斷增強我與癌和平共存的信心。在練功與吃素後一個月再到和信醫院複檢，腫瘤消失了，癌症指數（CEA）也從二十九降到○．九，我明顯感到身體愈來愈好。

當時醫師希望我開刀，理由是手術可以切除絕大部分的癌細胞，而且根據和信醫院兩百多例之臨床經驗，手術後五年存活率是八成；而不開刀的病人，一年內有九成會因復發而死亡。但我心想，開刀除了讓我生活不便（要用人工肛門）、破壞我的免疫力，又不保證絕對不復發，加上癌症成因來自環境因素與個人體質，那爲什麼我要開刀？當我決定不開刀時，所有親朋好友與和信醫師們爲之震撼，他們不斷苦勸，但我心意已決。我不是盲目，更不是無知，而是經過深度思考之後才決定的。任何癌症病人要想活下去，必須要有深度的認知，要自己做出最好的決定，就像李鳳山師父所說的：「心中有主，主就是主張」。清楚認知之後做出的決定，才可以發揮最大的力量。

罹癌、治癌、抗癌是一條漫長而痛苦的路程，失敗者多，成功者少。但是比起一些抗癌成功的鬥士，我可能沒那麼痛苦，因爲我在最恰當的時機，做了最恰當的決定：不化療、不開刀，走上自然療法。這過程中一個主要支持力量就是「無懼」，也就是不害怕。既然遺囑都寫好了，死對我而言就不再可怕，無懼時你不會去尋死，反而更積極的每天告訴自己：「生命非常可貴，要好好活下去！」我主張與癌共存，反對「趕盡殺絕」的那種抗癌概念。三年前我曾經出過一本小冊子，標題就是「輕鬆抗癌」，已經被索取了數萬本，感動、激勵了很多癌友，但是也引起很多爭議，不過，「輕鬆」的確是我這三年來很重要的感覺。

我認爲自己是最有資格站出來分享抗癌經驗的人之一，因爲我具有二十年臨床經驗、至少動過一萬例腦部手術，對正統醫療、醫院內幕、醫師思維、治療效果，瞭若如掌；因為我三年前罹患第三期直腸癌，經歷過癌症病人的恐懼、無助，並面對生死，對病人最瞭解；因為我罹癌之後，拒絕化療與手術，走上自然療法，如今不僅癌症得到控制，身體更好，並獨創雞尾酒自然療法；因為我三年來手機二十四小時開放，至少聽過二千位癌症病患或家屬的經驗，看到很多失敗與痛苦，也驚訝於不少成功與喜悅；因為我發大願終身奉獻給癌症病人，終身為社會大眾之健康奔走，終身為提倡自然療法而努力。

人的行為由於其個性、背景、特質、價值觀、教育與環境而決定，本書將從我的故事開始談起，當你瞭解我的個性與背景之後，才能理解到為什麼我敢拒絕化療與手術。其次談到癌症的正確觀念與醫療真相兩部分。接著告訴讀者，在背離正統醫療之後，我做了什麼？什麼又是雞尾酒自然療法？最後是舉了一些成功與失敗的例子，期盼大家從成功中分享經驗，從失敗中記取教訓。最後期盼所有癌症病人都能與我一樣，心念轉變，輕鬆以對，更希望所有醫護人員，尤其是醫師們也能心念轉變，發揮醫德，醫病也醫人。

第1章

我的故事

第三個星期開始，我開始逐漸遭遇到癌症治療帶來的痛苦。

首先是肛門腫脹嚴重，每走一步都感到肛門劇痛，那時我才體會到所謂寸步難行的滋味。

還有就是我無法控制肛門，要拉就拉，完全來不及，有一次甚至在病人面前拉出來。

成長背景

我生長在一個單親家庭，父親在我一歲半時就被國民黨以匪諜罪名抓去槍斃。母親是一位婦產科醫師，在父親死後獨自撫養五個子女（四女一子）。我對父親毫無印象，但是父親對我的影響卻是一輩子的。從求學、工作到今日，父親在冥冥之中不斷透過他的病人、學生、同事、朋友、親戚來關心我、協助我。

十年前我曾經收集很多資料編輯了《許強醫師專輯》一書。從資料中我暸解父親是一位急公好義、實事求是、打抱不平、堅持理念、不畏強權的好老師、好醫師，以及一位學術專精的研究學者，三十四歲就榮任臺大醫院教授及內科主任。當年日籍澤田教授就曾說過：「許強醫師是台灣唯一一位可以獲得諾貝爾獎的天才型傑出學者」。父親被捕後，國民黨政府要求他寫悔過書及供出同黨名單，如此便可饒他一命，但父親認為思想無罪，無需悔過也沒有同黨，因此最後以意圖叛國罪被判處死刑。一位叔輩親戚說，當年父親在清晨被押赴刑場時，是以視死如歸，毫無懼怕的氣魄，挺著胸膛一路上唱著「國際歌」勇敢迎向死亡的。

身爲許強之子，我的個性也是如此擇善固執、堅持理念，因此在過去二十年的醫師生涯中，曾經數次因爲敢言、直言，得罪了院方，被迫離職。以我如此倔強的個性，如果生在父親的時代，鐵定也會被槍斃，但或許也就是因爲我這不怕死、不服輸、堅持理念的態度，使我日後面對癌症時能夠平安過關。

我的求學過程可謂一帆風順，從小學、大同國中、建國高中到台北醫學院，每次聯考都順利過關，且每次的選擇都是自己深思熟慮後決定的。我的求知慾很強，課堂上常常發問，也喜歡自己找答案。像是高中上三民主義時，同學們大都死記考題，我卻熱衷於讀國父在廣州的演講稿，因爲當時我被國父思想深深吸引，非常佩服國父創建三民主義，因此對其時代背景、各種學說都廣泛涉獵，深入瞭解。

唸醫學院時，很多同學考試時只讀考古題或共同筆記應付，不求甚解。有一次考心電圖時，老師出題居然與考古題完全相同，甚至順序也一樣，因此很多同學不到十分鐘就繳卷，只有我還是堅持到最後一分鐘。當時的努力使我三十年後還看得懂心電圖。

大三上大體解剖時，每十人一組分配到一具屍體，由於解剖室充滿了刺鼻的福馬林味道，而爲尊敬屍體，老師要求我們不得戴口罩，所以很多同學不喜歡上課，但我卻不以爲苦。同學看到我如此認眞，樂得把解剖工作交給我，跑到外面納涼，我則把握住這難得的機會（事實上是一生中唯一的機會），學習到寶貴的經驗。由於我分配到是唯一的女性屍體，因此我把女性器官做了非常仔細的解剖，加上我對神經系統特別有興趣，每一條神經都找了出來。每次下課之後我都一身酸味、臭味加福馬林味，跟屍體差不多了！

下課後同學都去玩樂，我則是回到家繼續讀書、查資料到天亮，當時的我眞如孔子所說的，讀書已到「不亦說乎」的程度，或許就是因爲當時下足了功夫，使我日後能成爲一位優秀的腦神經外科醫師。當時腦神經外科是非常冷門的，幾乎無人願意去學，我一向主見很強，加上遇到兩位好老師：教神經解剖的鄭聰明教授與教神經科學的洪祖培教授，使我能逆向思考，走別人不敢走的路。誰知道十年河東十年河西，這二十年來腦神經科學進步非凡，變成熱門的外科領域。

這種腳踏實地、勇往直前、實事求是、認眞負責的生活態度，正是日後讓我很快從癌症陰影跳脫出來的原動力。

生病原因之一：過勞

要成爲一位腦神經外科醫師必須在醫學院畢業後，再接受六年嚴格而辛苦的訓練。我很幸運的又遇到兩位恩師，一位是啓蒙我的施純仁教授，以及與來自加拿大的費宏德（David Failform）主任。從施教授那裡我學到了腦神經外科醫師該有的態度與精神，而從費宏德主任那裡，我則學會了所有現代神經外科顯微技術。在這六年中，大多數時間我都留守在醫院，還曾有一次連續三天在開刀房裡，沒有洗澡、不見天日，只喝些飲料吃點餅乾充飢。我是台灣第一位完成六年專科訓練的腦神經外科醫師，訓練完成後，幾乎所有重大的、精細的腦部手術都可以獨當一面。記得升主治醫師後的第二天，我就進行一例當時最艱深的松果腺瘤手術。

腦神經外科手術不僅時間長、技術困難，術後照顧更是費神，病人常在無聲無息中惡化，醫護人員一時疏忽就會釀成大禍，尤其腦細胞一旦死亡就不再生，病人生命往往也無法挽回，加上那時的醫師與護士對腦神經外科都還相當陌生，我常常在完成長達十小時的手術後，睡在加護病房值班室，接續十小時的照顧。

記得民國七十七年初我到台南奇美醫院時，遇到一位成大退休的老教授因動脈瘤出血陷入昏迷，當時南台灣醫療水準並不高，早上七點我親自上救護車，要把病人送到高雄長庚醫院做血管攝影檢查，救護車在高速公路上竟然拋錨。由於當時沒有大哥大，高速公路又剛建好，沒有聯絡電話之設施，我急得像熱窩上的螞蟻，跑下交流道，到公共電話亭聯絡長庚醫院救護車來接病人。隨後的檢查一切順利，傍晚六點病人回到奇美醫院，七點馬上進行當時南台灣第一例的動脈瘤破裂早期手術，直到凌晨一點手術完成送加護病房。之後我便在值班室休息，要求值班護士每兩小時主動告知病情，剛開始一切順利，沒想到隔天早上七點病人忽然瞳孔變大，經過長達四小時的急救，還是回天乏術。如此馬拉松式的醫治病人，竟然還是失敗，當時的我極端沮喪，如殘兵敗將般拖著一身疲憊回家。

想要做個專業盡職的腦神經外科醫師，就得在緊張、勞累、熬夜中過日子，日復一日，年復一年，如果不是年輕時儲備下來的好體能，是難以勝任的。這樣的生活轉眼間過了近二十年，現在回想起來，長久積勞應是我日後罹癌的原因之一。

許醫師抗癌加油站

住院期間我專心接受治療，同時也不斷透過各種管道（網路、詢問等）收集有關癌症的資訊。當知道愈多後，心裡愈發平靜，因爲我知道癌症雖然可怕，但是決不是絕症。抗癌方法竟然有如此之多，癌症也絕不是醫師或醫院所描述的那樣。

生病原因之二：不當飲食，很少喝水

從小我就是肉食主義者，無肉不歡，很少吃蔬菜水果。嬰兒時就被形容為小蕃薯，因為手臂的肉胖成一截一截的，媽媽幫我洗澡時都要使勁扳開才洗得乾淨。唸小學開始我就酷愛運動，小學是棒球捕手與躲避球殺手、國中是短跑選手、高中是橄欖球校隊候補、大學是足球校隊。每年寒暑假還會去參加救國團辦的活動，如騎馬、射擊、滑水、登高山、橫貫公路縱走等等。運動會或各種體育活動我從不缺席，身材也很壯碩，幾乎從不生病。

當了主治醫師後體力變差，時間又有限，運動就只限於打網球，這一打就是十幾年，直到我生病為止。在運動時我與別人很大的不同是，我很少喝水，當別人滿身大汗之後大量灌水，我卻來杯可樂或綠茶。由於少喝水、工作忙碌，以致大便不順暢且惡臭，但我自認身體強壯不以為意，尤其在生病前幾年，我在奇美醫院工作時，簡直就是賣命開刀；在嘉義聖馬爾定醫院當副院長時，更是天天吃多葷少素的便當。錯過吃飯時間就隨便吃個鹽酥雞，即使有時間上館子，也是選擇燒烤、火鍋等高熱量、高蛋白的食物。七十四年去美國研習時，幾乎是靠可樂與義大利麵過日子，結果一年後回國，帶回來將近十公斤的肥肉。

生病之初時我並沒有像一般癌症病人體重下降，還胖到七十八公斤，比標準體重足足重了十二公斤（我身高一百七十公分，六十六公斤才標準），同時開始有痛風的毛病，照常理判斷，我應該會得到高血壓或糖尿病才對，結果卻是癌症。

不當飲食、很少喝水，的確讓我的身體長期酸化而罹癌。

生病原因之三：個性衝動

我個性積極、急公好義、得理不饒人，即使面對操生殺大權的醫院高層，我依然敢在衆人面前直言不諱。當時認爲自己理直氣壯，現在看來卻是少年得志，不知天高地厚。我離開長庚時，在心中告訴自己要爭氣，絕對不可認輸，更期許自己要有更高的成就。

的確，塞翁失馬焉知非福。往後十年我的專業能力不斷提昇，每年出國參加國際研討會，發表的專業論文報告有十幾篇，至少開過一萬例腦部手術，而且我最專精的腦神經血管減壓手術更有獨到之處，二十年間已累積了一千七百例成功病例，成績絕對是國際級的。

我自信而不服輸，努力而肯吃苦，在成就與專業上的確算是成功了。之後到嘉義聖馬爾定醫院擔任副院長，更讓我有機會展現領導能力。聖馬爾定原本只是地方醫院，由於擴建成區域醫院，急需一位具專業與管理能力的醫師，剛好那時我準備離開奇美醫院，因緣際會之下，讓我來到這家教會醫院。在擔任醫療副院長三年期間，我展現領導能力，更講究效率與品質，幾乎天天中午與一級主管開會。當時醫院不僅缺乏制度，醫師不足，護理素質也低落，感謝董事長與院長的信任，放手讓我發揮。我一方面建立制度，廣招醫師，並積極訓練護理人員，同時更以身作則，凡是別人不去、不做的，我都率先承擔，果然第二年就輕易通過區域醫院評鑑。最讓我自豪的是評鑑當天我負責醫院制度的簡報，開場第一句話我就說：「各位評鑑委員，你們都是有備而來的，我們醫院也是有備而來的！」狂傲的表現與精采的報告，讓評鑑委員印象深刻。

在通過區域醫院評鑑之後，我原以爲能更上一層樓，把醫院經營成爲醫界的黑馬，哪知董事長往生，院方高層人事出現大異動，造成行政效率低落，主管團隊被迫解散，我不滿這些改變，於是花了兩星期寫了一篇「醫院的浪費」數萬字建言書，不出一星期，我就被解聘了。

我就是如此奮不顧身的賣命演出，成就雖然傲人，但是衝動的個性與言行，得罪了不少人，這也是後來生病的原因之一吧。

首次面對自己的生死

離開嘉義後，我轉往台中中山醫學院，一年多後再到林新醫院擔任醫療副院長，協助醫院通過區域醫院評鑑。雖然臨床工作或醫院管理我都已駕輕就熟，但多年來累積的生活過勞、飲食不當，我的身體開始出現警訊。九十一年八月我發現大便出血，剛開始以爲是痔瘡並不在意，漸漸我發現每次開完刀後都非常累，甚至無法彎腰穿襪子。拖了近五個月後，由於出血愈來愈嚴重，身體愈來愈虛弱，使我不得不正視。

九十二年元月十七日星期五晚上，一個令我終身難忘的夜晚，我到台南市立醫院外科夜診，請同事林主任檢查並安排痔瘡手術，哪知林主任一檢查，竟然告訴我是大腸直腸癌，而且腫瘤已經不小了。這一驚非同小可，當場幾乎休克。

當晚回家告訴家人，他們都以為我在開玩笑。往後的兩天我幾近癱瘓，竟日躺在床上，腦中一片空白。怎麼會是我？我能活多久？我第一次發現死神是如此之貼近，雖然平常在醫院看慣生老病死，但那是別人啊！第二天清晨，我獨自一人到街上想吃個早餐，一輛摩托車從身邊疾駛而過，竟嚇了我一大跳，不是因為對方騎太快嚇到我，而是我心中驚覺，就是因為每天吸到這麼多的廢氣讓我致癌的。走到平日吃早餐的小店，老闆像往常一樣招呼我，我竟然不敢進去，因為我覺得就是因為每天吃這些食物讓我致癌的。霎時間，整個世界好像都充滿著致癌物，我不知要躲到哪裡去，也不知該吃些什麼，我狼狽地逃回家！

就這樣過了兩天，我稍微清醒過來，決定要面對。我做的第一件事就是寫好遺囑，這是我第一次面對死亡。寫好遺囑，向家人說清楚講明白，然後準備到醫院接受治療。記得那天要離家就醫時，親戚來接小孩去幫忙照顧，看著活潑可愛的兩個小女兒提著行李上車，我竟有種與她們訣別的感覺，深怕以後沒有再見的機會了。女兒還回頭對我說：「爸爸，把病醫好趕快回來呀！」這種絕望的心情，相信很多癌症病人都曾經歷過。

許醫師抗癌加油站

住院期間，我也常推著點滴架去「巡房」。我發現有兩種病人預後一定很差：一種是躺在床上竟日看著天花板，面無表情，家屬或朋友來探望時也是勉強擠出笑容。另一種病人是在外面庭園一邊打化療點滴，一邊猛抽菸。眞不知他們對生命的看法是什麼？

住院治療

我是長庚訓練出來的醫師，對長庚較有信心，尤其范宏二院長更是大腸癌手術的專家。我正打算連絡昔日學長，希望儘快安排手術時，一位朋友來電提醒我可以到和信治癌中心醫院。和信的黃達夫院長是我從小認識的一位兄長，也是國際知名的治癌專家，而且和信又是癌症治療中心，於是我很快連絡上黃院長，第三天就開車北上到和信醫院，經簡單問診就立刻住院檢查。和信醫院最令人激賞的是它有非常好的治療團隊，每個病例除了給予最精準的檢查外，更透過醫療團隊的開會討論，做出對病人最好的治療計畫。

醫療團隊告訴我先放療、化療再手術，是目前最好的治療方法，而和信已經成功治療過兩百個以上的病例，成績不但傲視全國，更直追世界水準。當治療計畫確定後，所有相關的主治醫師、住院醫師、助理、護士等完全遵守治療計畫，讓我每天都知道下一分鐘要做什麼。住院期間需要做各種檢查或治療時，都準時由看護來接送，各部門之銜接也非常恰當，很少讓我久等。在檢查

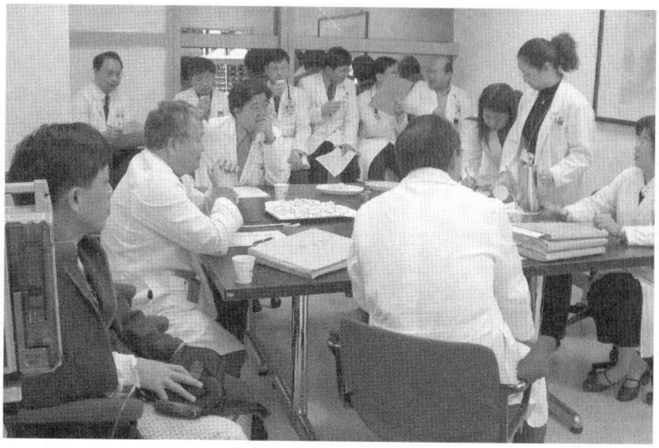

和信醫療團隊討論我的病情，希望做出最好的治療計畫。

或治療時，病人受到充分的尊重與保護。舉例來說，每一樣檢查事先都會安排訓練有素的醫護人員詳細解說；做大腸鏡檢查時先做簡單的麻醉，麻醉護士會陪在一旁，且使用氧氣監測儀，這在其他醫院是不可能的。種種安排，都讓病人很安心。和信還安排我做兩次核磁共振檢查，我曾經詢問其他醫學中心，他們都回答說核磁共振是研究用的，只要做電腦掃描就夠了。哪知就因爲核磁共振檢查，發現我大腸外淋巴腺已經被侵犯了，因此在開始治療前，醫療團隊就清楚知道我的腫瘤擴散情形。

我總共接受了二十八次的放射治療，在放療前五天與後五天各接受一次化學藥物治療，這是爲了加強放療效果的化療，而非一般化療。和信的大腸直腸科主任呂樹炎醫師是我的好友，專攻大腸癌手術多年，是一位經驗豐富的專家。放射腫瘤科簡哲民主任臨床經驗豐富，對我也很好，當他來巡房時對我說：「你已經忙了十幾年，就把這次住院當成休假吧，有空可以到淡水老街走走，或坐捷運看看久違的台北市。」他又說：「台灣男人得的癌症不外是肝癌、鼻咽癌、肺癌、大腸癌，其中預後最好的是大腸癌，你可說是不幸中的大幸。」經他一說我心情輕鬆多了。腫瘤科主治醫師劉美瑾很瞭解病人關心的事，她告訴我放療前後會有兩次各五天的化療，併發症不嚴重，更不至於落髮，這又給了我一顆定心丸。

還有在做放射治療時，技術員囑我俯臥，同時幫我把臀部墊高，他解釋這種姿勢可以讓小腸往上身方向移，較不會被傷害。原先我不瞭解這種安排的重要性，等以後我遇到很多病人因爲放療時採平臥姿勢，以至日後造成小腸蠕動不順、拉肚子，或時常陣痛等後遺症時，我才知道一個小小的安排，竟會給病人帶來如此大的不同。

醫療團隊的醫師都會主動關心病人，每一位都陸續給我一些正面、肯定的說明，這是非常重要的。因爲癌症病人打從被告知得了癌症之後，就生活在恐懼之中，主治醫師一句小小肯定的話，會帶給病人很大的安慰。我當了二十年的外科醫師，直到我生病住院後，才眞正體會到病人的需求。

再看看其他醫院的情形，眞教人捏一把冷汗。治療既沒有計畫更沒有團隊，很多癌症病人常被恐嚇不立即開刀就會沒命；還有因爲手術前檢查與評估不完全，結果手術中才發現早期變成末期。記得有一位三十出頭的女性因腹痛就醫，手術前被告知是子宮肌瘤，手術中卻發現是大腸癌侵犯到子宮，醫師要家屬進去開刀房，當場解釋說必需切除直腸並做人工肛門，在那種情形之下，家屬除了同意還能怎樣？當病人醒過來後得知實情，當場就崩潰了。

醫院裡還常看到的另一種狀況是，手術前沒做好評估及說明，手術後發生後遺症，如口腔癌、胃癌、腸癌手術後，進食、體力、營養都大受影響，病人被折磨到不成人樣後，才轉給給內科化療，轉科之後，外科醫師不再關心病人，而腫瘤科醫師看到病人體力如此之差，也不知要如何用藥，最後醫師間互相指責，病人就成了犧牲品。當病人想轉到其他醫院，要求複印病歷資料時又被百般刁難。有幾位病人就是遭遇這種情形，在我面前抱怨連連。我不禁想起二十年前二姐夫在美國罹患淋巴癌，先後在美國五大州至少十家醫院就醫，所有醫院或醫師都會主動將病歷與治療治記錄資料交給病家或寄給其他醫院，讓治療計劃從未中斷過。在資訊如此發達的現代社會，各醫院資料都已電腦化了，從甲醫院要資料到乙醫院竟然做不到，與美國一比，我們的醫療制度實在落後。

想到這裡，我眞慶幸自己遇到好醫院、好醫師。

心念初轉

住院期間我專心接受治療，這時有很多朋友提供不少有關癌症的書籍，同時我也不斷透過各種管道（網路、詢問等）收集有關癌症的資訊。當知道愈多後，心裡愈發平靜，因爲我知道癌症雖然可怕，但是決不是絕症。抗癌方法竟然有如此之多，癌症也絕不是醫師或醫院所描述的那樣。

當時幾乎所有的治癌方式我都想瞭解，如中藥、針灸、養生食品、民俗療法等。我讀到莊淑旂博士的宇宙操與毛巾操，在病房裡練，但是毫無感覺就放棄了；也讀到梅門氣功的一些資料，但不多。說來眞是有緣千里來相會，在放療一段時間後，我在老婆陪伴下請假外出，想親自瞭解這些民俗療法，第一站就是梅門。

在小南門附近找了好久才找到梅門，沒想到道場竟然這麼小（後來聽李鳳山師父說，梅門是「最不像道場的道場」），本來不想進去，但想想既來之則安之，姑且進去瞧瞧。我和一位師姐談了約二十分鐘，決定先買本李鳳山師父的書《上班族養生之道》。回到醫院當晚我就開始讀，竟一口氣讀完，第二天就照書上的說明開始練功，這一練練出興趣來。練到二月底，我去台中參加「引導大會」，看到在台上的李師父正氣懾人、聲音宏亮，服務的師兄師姐個個用心、信心十足，深受震撼。當時我曾以書面寫下問題希望師父開示：「你會建議癌症病人不開刀而去練功嗎？」因為當時我依然擔心自己的病情。引導大會後我

許醫師抗癌加油站

做放射治療時，技術員囑我俯臥，同時幫我把臀部墊高，讓小腸往上身方向移，較不會被傷害。等以後我遇到很多病人因為放療時採平臥姿勢，以至日後造成小腸蠕動不順、拉肚子等後遺症時，我才知道一個小小的安排，竟會給病人帶來如此大的不同。

就決定報名台中梅門養生班。

住院期間，我也常推著點滴架去「巡房」。和信醫院是治癌中心，住院病人百分九十都是因爲癌症住院。我發現有兩種病人預後一定很差：一種是躺在床上竟日看著天花板，面無表情，家屬或朋友來探望時也是勉強擠出笑容，這種病人天天在極度負面情緒下生活，能好得了嗎？另一種病人是在外面庭園一邊打化療點滴，一邊猛抽菸。眞不知他們對生命的看法是什麼？是已經看開無所謂？還是認爲抽菸比什麼都重要？

剛開始並沒有很多人知道我因癌症住院，後來消息傳開，一些好友同事陸續來電話關心，甚至要來醫院探視，但我不想麻煩別人，都婉謝了，只有老婆一人陪著我，打點我的起居與治療。我的三位姐姐（二姐在美國）先後來探視我，她們從小就疼我，因爲我是家中獨子又是老么。三姐更是善體人意，知道我生病之後經濟會出問題，因此主動將儲蓄無息借我，讓我很感動。四姐無論外表與個性都跟我最像，我們都是不善言語又不懂得主動關懷別人的人，但她的關心我還是可以體會到。四姐是藝術家，既會彈鋼琴又是插花老師，還當瑜珈教練。走筆至此讓我一陣難過，因爲萬萬想不到，十個月後她竟然得到少見的膽道癌，不到一年就走了。人生眞是無常呀！

肛門疼痛如刀割

每一位癌症病人不僅心生恐懼，而且在醫院接受治療時身體又受到無情的摧殘，這種身心皆受創的慢性折磨，日子要如何過下去呢？

在接受放射治療時，醫師就安慰我說，我是不幸中的大幸，因爲大腸癌並不是最惡性的，治療效果也不錯。治療的併發症我泰半都可以接受，剛開始也幾乎沒有什麼痛苦，只是大便依然出血，心裡有些急躁。由於化療要連續打點滴五天四夜，必須住院，因此我前後總共住院十天。第一劑化療打完後剛好遇上春節，我出院回家休息幾天，初四後則每天坐飛機來回於台北台中，一方面繼續放療，一方面也回台中上班，只是不再值班並辭掉副院長工作。

但是在第三個星期時，我開始逐漸遭遇到癌症治療帶來的痛苦。

首先是肛門腫脹嚴重，每走一步都感到肛門劇痛，那時我才體會到所謂寸步難行的滋味。而且更要命的是每天得進廁所十次以上，每次都像是有人拿刀子在割肛門一樣，上個廁所滿身大汗，全身僵硬，但不去又不行，最後我終於受不了，再去醫院求診，希望醫師能給我止痛。從醫院拿回一大堆藥，有塗的、吃的、塞的、泡的，但統統沒用。這時我已經進梅門練功，在走投無路之時，我只得在進廁所之前先做幾次深呼吸，如廁時坐在馬桶上做平甩功，腦中儘可能放空，把自己帶進一個空的世界，嘗試忘記自己，才能稍微忍耐。

那時還有另一個痛苦，就是我無法控制肛門，要拉就拉，完全來不及，有一次甚至在病人面前拉出來，我急忙藉故開溜到廁所換褲子。那時我必定隨身攜帶一個小包包，裡面裝著內衣褲好隨時應急，同時出門一定先找廁所，一切活動必須在廁所附近進行。儘管如此，有一次忘了帶衛生紙，想回車上拿，那知半途即淅瀝嘩啦解出來，我只好坐在大便上開車趕回家解決。這些遭遇讓我體會到「不成人樣」、「生不如

住院中，我開始逐漸體會到癌症治療帶來的痛苦。

死」的感覺，這樣活著，人的尊嚴在哪裡？如果開刀是否一輩子都要過這種日子？不想開刀的念頭開始在我腦海浮現。

每次疼痛一來，我就咬緊牙關坐在馬桶上甩手，不到三星期，奇蹟終於出現了。有一天洗澡時，我赫然發現手上翻黑的靜脈開始褪色，就從那天開始，我的症狀逐日好轉，大便不再流血，臉色手指膚色恢復正常，精神也變得比較好，我的信心慢慢增加。等醫院通知我住院手術時，我已經胸有成竹，判若兩人，正如李鳳山師父所言：「脫胎換骨！」

歷經兩次化療，我手上的靜脈與臉部、手指都被化療藥物翻黑了，化療眞是毒藥啊！我實在想不通爲什麼有那麼多科學家、醫學家苦心研究這些毒藥呢？有不少醫界朋友寄給我一些抗癌新藥的論文，我看了幾篇就丟到一旁。其中有一篇論文的結論還說癌症病人用這新藥治療後平均可多存活三個月，這在統計學上雖然是有意義的，但實在令我啼笑皆非。如果多出來的這三個月能一如常人快樂生活，我也許會接受，但事實上卻是繼續痛苦三個月，甚至是在加護病房全身插滿管子，求生不得求死不能，我實在不想要過這樣的生活。

拒絕手術

在第二次回和信檢查準備手術前，我已自行在南部醫院抽血檢驗癌指數，結果CEA從最初的二十九降到〇．九，其他指數也都在正常範圍內。我清楚記得那天是九十二年四月一日愚人節晚上十點鐘左右。當晚我原本要去請示李鳳山師父是否要接受手術，見到師父，我迫不及待的把我的經歷、生病與練功感覺一五一十稟告，並愉快的向李師父報告，我已經心中有主：不接受手術了。李鳳山師父聽完之後馬上豎起大拇指，告訴我癌症治療的三大秘方：練功、吃素、發大願！

經過一夜好眠，第二天到和信醫院接受一連串檢查。在診間等待時，我看到那些癌症病人一個個垂頭喪氣、掛著口罩，心中一陣惋惜。當其他病人無精打采著坐在那裡等醫師的宣判時，我自個兒很有精神得在角落練起功來。癌症病人太痛苦了，很多病人在被告知罹患癌症之後，不是在醫師的恐嚇威脅之下立即接受過度的治療，就是害怕到不敢回醫院，到處求神拜佛、尋求偏方，也給騙徒可趁之機。癌症病人花大錢買假藥的事時有所聞。我當場就發大願，身爲一位資深外科醫師以及癌症病人，等我好了之後要終身爲癌症病人服務。

半小時後檢查出來，果然奇蹟出現！不僅所有癌症指數恢復正常而且非常低，更令人驚訝的是，核磁共振檢查竟然發現原來五公分大的癌腫瘤消失了。我心中的喜悅無法形容，信心更是大到極點。幾位醫師看了檢查結果後，先恭喜我腫瘤不見了，但是卻告訴我這是影像上不見了，癌細胞依然在我體內，爲了徹底治好癌症，還是要手術與化療。他們安排我兩星期後手術，之後後再安排半年的化療。化療後視病況再考慮做第二次手術，把人工肛門接回去（爲保

許醫師抗癌加油站

每次疼痛一來，我就咬緊牙關坐在馬桶上甩手，不到三星期，奇蹟終於出現了。有一天洗澡時，我赫然發現手上翻黑的靜脈開始褪色，就從那天開始，我的症狀逐日好轉，大便不再流血，臉色手指膚色恢復正常，精神也變得比較好，我的信心慢慢增加。

留肛門，第一次手術是將上端大腸接到皮膚上做人工肛門，保留下端直腸與肛門。化療做完病情穩定後，第二次手術再把上端大腸接回去下端大腸與肛門，讓病人恢復正常排便），如果病況不理想則再繼續化療下去。

這一連串的治療至少要持續一年以上，這就是醫院爲癌症病人所安排的路，當時的我信心十足、快樂像神仙，除非頭殼壞掉，哪可能接受這樣的安排，因此我告訴醫師回家考慮，當天就出院回家。這是我最後一次住院，回去之前我還在醫院門口照相留念。

決定不手術的我，神情愉快的在和信門口照相。

誠如李鳳山師父所言：「心中有主，主就是主張」。當你充滿信心，勇氣十足，人生要重新出發之時，決定不開刀是如此之容易。在往後多場癌症分享會中很多病人問我：「要不要開刀？」、「要不要化療？」、「你爲什麼敢不開刀？」。我不厭其煩的告訴他們我的心路歷程，但是卻很少有人能像我一樣有勇氣、有毅力做出決定。

壓力排山倒海而來

原以為決定不開刀之後，親朋好友會為我高興，哪知好言相勸、恐嚇威脅排山倒海而來。一位醫學中心的外科主任甚至還在報紙上公然預測：「許醫師身為一位資深的外科醫師竟然拒絕手術，這是最壞的示範。第一年也許可以僥倖逃過，第二年一定復發，復發後不可能活過第三年。」如果是沒有定見的病人，早就被嚇得乖乖回醫院接受治療了，但是我卻愈戰愈勇。

記得生病第一週時，我完全依照醫師之指示：「治療會很傷身體，因此必須吃高蛋白食物」，當時親朋好友送來很多高貴補品，我曾經一天喝下十瓶雞精。但當我深入瞭解各種資訊、分析生病原因之後，徹底懺悔，立即開始吃素、練功及喝電解水。我是如此實事求是，立刻行動，並在病情好轉之後做出拒絕化療與手術。這與一些病人因為害怕、恐懼而逃離醫院是截然不同的。

我很清楚記得我的主治醫師、也是我的好友呂醫師來電說：「許醫師，我不是要開你這個刀，而是我看到太多不開刀的後果，那是非常悲慘的。雖然有極少數僥倖存活下來的例子，但我們不能拿自己的生命來賭注吧？不開刀的病人九成在一年內都復發了，復發之後就回天乏術。」

當時是衛生署防疫局副局長的三姐也來電關心說：「你要選擇練氣功、吃素沒關係，刀總是要開的，你看看有那麼多人手術後都恢復健康了呀。」最後一個勸說的是三姐夫——台大醫學院院長、肝病專家、中研院院士。他來電說：「我們都是學醫的，醫學不是憑空捏造的，而是有科學根據的。做一個決定應該有根有據，現代醫學雖不完美，但這麼多人的研究與經驗至少可以證實手術是最好的安排，希望你能再次考慮！」我原本要與他爭辯，但是隨即放棄，轉而謝謝他的關心。

一個個關心我的親朋好友、醫界前輩看我固執不可理喻，都搖頭而去，似乎我是無藥可救了。如今快滿四年了，我不僅依然健在，而且身體精神都比生病前更好。

第2章

抗癌的正確觀念

我個性衝動、每天大魚大肉、不喝水、工作壓力大、大便不順，
讓我的直腸細胞長期浸潤在有毒環境裡，
爲了活命當然只好突變，才導致癌症的發生。
原來癌症的治本之道竟然是重新學習做人，
這是我罹癌後的深切體認。

認識人類正常細胞

當精子與卵子結合成受精卵後，即是一個嶄新生命的誕生。受精卵帶著父母親雙方以及前世的遺傳因子開始分裂出最初的十六到三十二個幹細胞，這些幹細胞充滿幹勁，繼續分裂成三胚層。內胚層發展成人體所有內皮細胞，如腸胃、口腔黏膜、氣管黏膜等，中胚層發展成血管、骨骼、肌腱、免疫系統與脂肪組織等，外胚層發展成皮膚與神經系統。各個系統相互形成器官，如腸道有內胚層的內皮黏膜，中胚層的血管、脂肪、淋巴免疫組織，外胚層之神經。各個器官主司各種功能，互相支援，絕不重複卻又能互補。上帝造人早已設想周到，當醫學愈進步，對人體功能愈瞭解，就會對上帝的傑作——人體愈覺得嘆爲觀止。有科學家說雖然二十一世紀科學如此發達，但是對人體的瞭解只不過百分之五而已。

人體細胞有六十兆個，每一個細胞一出生到死亡，都在努力執行它特有的功能，既不偷懶、不罷工，更與其他細胞合作無間，一切以維持生命體正常運作爲主要責任。一旦出現異常狀況（感染、外傷），更是勇往直前，絕不退縮，甚至犧牲自己亦在所不惜。每一個細胞都肩負一個很單純的任務，既不搶功也不代勞，可說是一個理想的烏托邦。如紅血球從肺細胞得到氧氣，進入血液循環，將氧氣帶給身體各個細胞以進行新陳代謝；白血球則是人體的軍警系統，在身體各處巡邏，以防入侵者，一旦發現異物，一方面馬上通報、啓動防疫系統，一方面立即對入侵者展開攻擊與圍剿，前仆後繼死而後已。紅血球與白血球平常在血管內游走，是好朋友互不侵犯，一旦血管破了，紅血球離開血管失去功能，白血球立刻視爲異物，破壞吞噬毫不留情。人體有如此嚴厲的制度，如此永不退縮、忠心耿耿的細胞，身體平時當然呈現出健康的模樣。

細胞突變

所有生命都有出生與結束，人類細胞當然不例外。每一種細胞都有生命周期，一旦老化就會被破壞或啓動自然凋亡機制。人體每天有幾千億個細胞凋亡，同時又有幾千億個細胞誕生，這就是新陳代謝。當新生細胞多於老死細胞，人體就會成長，當老死細胞多於新生細胞，人就會老化甚至死亡，可以說人體時時刻刻都在進行非常複雜的生與死的戲碼。這麼複雜的過程中難免會發生異常，所以科學家說每個人每一天體內至少會出現一兩百個癌細胞，只要免疫系統正常運作，偵測系統不失靈，這些癌細胞是無法生存的。可是當系統失靈或人體受到嚴重污染，讓癌細胞有機會存活並繼續分裂，癌症就發生了。

事實上細胞的突變不是偶然的，也不是沒有原因的，而是爲了求生存不得不變，這是上帝賦予每一個生命體的本能。我個性衝動、每天大魚大肉、不喝水、工作壓力大、大便不順，讓我的直腸細胞長期浸潤在有毒環境裡，爲了活命當然只好突變。這是我先對不起我的直腸細胞，讓它活不下去，才導致癌症的發生。這時候如果採取的是西醫療法（化療、手術、放療）追殺癌細胞，就好像孩子變壞了，父母不知檢討自己，只是一味責罰孩子，這樣的教養方式有效嗎？當罹癌之後，我立即反省、認錯並改過自新，努力做好身心靈修練，重新建立乾淨的身體，癌細胞就沒有理由再分裂下去，終會逆轉回來或乖乖躲在一旁不敢亂動。

原來癌症的治本之道竟然是重新學習做人，這是我罹癌後的深切體認。

致癌物與自由基

儘管全世界的科學家都在傾全力研究癌症，但是至今仍然沒有人眞正說清楚癌症從何而來，但是從公衛的觀點來看，癌症應是來自污染，而且是身心靈的污染。

我們的生活環境裡愈來愈多的致癌物，無論是吃的、用的幾乎都可能致癌，尤其我們愈吃愈精緻美味，但卻愈沒營養，加上吃到可能添加防腐劑或致癌物的食物，都會造成身體的污染。有些人可能自認生活作息正常，吃東西也很小心，或是長期吃素，還定期運動，但仍然得到癌症，原因何在？這就可能與致癌環境或個性有關，像是主婦長年接觸油煙，或長期吸食二手菸；個性多慮或暴躁；工作過勞、長年失眠或經常便秘等，都會使體內新陳代謝不良，產生很多自由基。遺傳因素也常扮演關鍵角色。

自由基是一種瞬間產生的不安定分子，它缺乏電子，經常要奪取周遭正常細胞細胞膜之電子，使細胞變性，久而久之就變成癌細胞。自由基在體內無時無刻不在產生，但自由基有好有壞，如一氧化氮就是一種好的自由基，它是免疫細胞攻擊病原體的最佳武器，但產生太多亦會發生自我殘殺之情形。我們吸入的氧氣有百分之五會轉變成不好的活性氧，亦即自由基。當人體正常運作時，體內會有消除有害自由基的機制，但是如果各系統之間失去平衡，或自由基產生太多，就會造成傷害。具有抗氧化作用的維他命C、D、E，有機鍺、蜂膠、電解水等，都因爲能吸收自由基而可抗癌。要控制癌症，就要減少毒素入侵、生活作息正常、減少自由基之產生，同時要食用大量抗氧化食物，與有科學根據的健康食品。

癌症診斷必須百分百

癌症的診斷必須百分百正確，不能百分九十九。因爲一旦確定癌症診斷之後，接續的治療是漫長而痛苦的，萬一有百分之一的可能性診斷錯誤呢？某大醫學中心董事長就是因爲胸部發現有腫塊被懷疑是肺癌，等到他去美國開刀證實是肺結核之後，才決定回國建醫學中心。當然有些時候施行切片並不簡單，但是醫師和病人都要盡最大努力取得組織切片，證實診斷。

有人說切片會誘發癌細胞轉移，讓病情惡化，理論上似乎說得通，實際上也可能，但癌症屬於重大疾病，而切片取得組織做病理診斷，又是唯一能確診的必須檢查，因此無可避免。

幾個月前報載一個在醫學中心發生的烏龍事件：一位年輕女病人在右胸摸

許醫師抗癌加油站

有人說切片會誘發癌細胞轉移，讓病情惡化，理論上似乎說得通，實際上也可能，但癌症屬於重大疾病，而切片取得組織做病理診斷是唯一能確診的檢查，因此無可避免。在尚未獲得百分之百的診斷之前，就開始漫長而痛苦的治療，將會導致嚴重的後果。

到一個腫塊，到甲醫學中心診治，醫師說需要切片做病理檢查，檢查報告尚未出來，醫師就說很可能是惡性，病人一聽嚇呆了，因爲她媽媽就是死於乳癌。由於不放心，又到乙醫學中心就診，她轉述甲醫院醫師的說法，乙醫師說明天馬上動手術。手術進行順利，她也康復出院。兩個月後她要申請保險給付，於是回到兩家醫院申請醫療證明，結果發現兩家的病理報告都是良性，這位病人看到差點昏倒。一個良性腫瘤被兩家醫學中心大醫師連連誤診，不僅白挨一刀，更得不到保險理賠。若乙醫院的醫師有事先看到報告，當然不會動手術，也或許他是怕病人跑了，才急著動手術，而一般病人也根本不知道要詢問病理報告結果，才會出現這種烏龍事件。

有一次門診來了一位癌症病人，看來很虛弱，坐在輪椅上被家人推進來。這位病人是肺癌第四期，在一家醫學中心接受放療與化療。家人來看我，是想問問看我有沒有治癌秘方？我詳細詢問看病經過，病人竟然沒有做切片，甚至連最基本的氣管鏡檢查都沒做，就開始治療。現在病人身體非常虛弱，胸部則因爲放療而一片焦黑，如果不是肺癌而是肺結核、寄生蟲，或其他疾病呢？

爲了一個錯誤的診斷，或一時的要求效率，在尚未獲得百分之百的癌症診斷之前，就開始漫長而痛苦的治療，將會導致嚴重的後果。有很多病人因為過分緊張與害怕，又遇到一個沒有醫德的醫師，結果導致悲劇發生。這三年來我聽說過的實在太多了。

眞心懺悔，希望無窮

癌症眞正讓人難以承受的，不在它會致人於死，而在於它慢慢折磨人，尤其是劇痛。幾乎每一位癌末病人都會住進安寧病房，在人生最後一段時光，天天施打嗎啡止痛。

即使在罹癌初期治療期間，病人仍然會遭遇到很多身心的折磨，很多病人手術後常發生併發症而痛苦，如傷口疼痛、腸阻塞絞痛、感染發燒酸痛、神經壓迫而刺痛。化療期間痛苦更多，噁心、虛弱、食慾不振、掉髮、體重減輕、發高燒、失眠、口乾舌燥、四肢發軟等。放射治療期間則可能皮膚刺痛、患部燒灼感、口腔黏膜破裂、呑嚥困難、呼吸困難。這些痛苦不是當事人是無法體會的，也不是用言語可以形容的。

有位哲學家說得好：人遇到危機時常常是先否認、排斥、逃避，繼而憤怒，等到事態嚴重了，只好無奈地接受，最後是任人擺佈、失去自我。大多數癌症病人心態變化也是如此。當我每天接觸癌症病人，累積相當豐富的經驗後，已經可以大略看出病人是否能活下去。凡是病人願意眞心懺悔、反省、檢討者，則可預知他希望無窮。如果病人更能進一步主動說出他對癌症、甚至對死亡無懼的看法，則可以清楚知道他已經完全跳出癌症之陰霾，內心已經出現一股莫大的力量，要重新開始自己的人生了。

相反的，如果病人恐懼、害怕、六神無主、不知所措，或甚至表現出自以爲是、憤怒排斥，或天不怕地不怕的神勇，其後果往往不堪設想。我看到很多癌症病人因爲心念無法轉變，到了臨死前不是更加恐懼不安，就是持續責怪、憤怒、抱怨，結果是死不瞑目、含恨而終。

當我自己感覺到症狀完全消失，癌症指數也降低時，身體感覺到異常輕鬆，就好像沒有生病一樣，內心有一股莫大的力量與信心湧現出來。我永遠忘不了九十二年年愚人節那晚，我跟李鳳山師父報告不開刀的決定、從道場出來後，在小南門捷運站前，我竟在馬路上快樂的手舞足蹈起來。過去一個月的痛苦不僅完全一掃而空，甚至讓我第一次感覺到生命重新開始！

儘管我不斷向所有與我連絡過或聽過我演講的癌症病人說明，不要恐懼害怕、更不要盲目接受不必要的治療，尤其是化療，但實在少有人像我一樣有勇氣、毅力與恆心。

癌症復發的陰影

回想過去二十多年的行醫生涯，讓我驚覺自己對癌症的瞭解竟然如此淺薄，幾近無知的程度。這正說明爲什麼醫療科技愈發展、醫院愈大，癌症死亡率卻日益攀升的原因，答案很簡單，因爲醫師都在「醫病不醫人」。醫師只看到某癌長在某器官裡，於是就以有毒的、有害的手術、放療、化療來追殺癌細胞。

過去三年來我至少接觸過二千位癌症病人或家屬，從他們不同之經歷中，我發現癌症有兩個危險期，如果病人克服不了，那就只有死路一條。一個是當被宣布罹患癌症之時，此時病人多半驚慌失措，完全將生命交給醫師，如果遇到好醫師，得到適當的醫療，病情會有短暫的好轉或穩定，以後病人也會遵照醫師的指示定期複檢。醫師可能會告訴病人，治療後兩年是最可能復發的時期。如果病人僥倖活過兩年，相信癌症已經治癒，然後就恢復以前的生活方式，那包準不久之後就後悔不已，因爲癌症很快就會復發。

癌症復發正是病人再度崩潰的時候，也是癌症病人第二個危機，因爲心理被徹底打敗了，很多病人從此一蹶不振，而復發後的治療可說是痛苦又無效。醫師會告訴病人要馬上安排化療或立刻再度手術，以防止惡化。事實上醫師都知道，即使再用更毒的藥或手術再切除癌腫瘤，只是拖延時日而已，爲怕嚇壞病人不明講罷了。在病人身心崩潰，醫院治療無效的情形下，就一步步痛苦的走上死亡之路。

我看過很多病人當被宣布癌症復發時，在我面前崩潰，而且是全家人一起崩潰。第二次危機比第一次更嚴重，因爲復發代表著以前的努力都錯了，都白費了，有些病人甚至譴責自己或怒斥家人，覺得完全沒希望。復發之後絕大部分病人更恐懼、更無助、更徬徨，他們回到醫院，把生命完全交給醫師，再次接受毒藥，再手術，再一次破壞身體，最後走進安寧病房，變得瘦骨如柴、食慾不振、疼痛不已，最後天天施打嗎啡，不久之後就陷入昏迷而死亡。

難道復發就注定沒希望了嗎？當然不是！任何癌症病人、無論是第幾期，即使被醫師宣布只有幾個月的壽命，只要能夠心念轉變、徹底懺悔，有堅強的抗壓性與執行力來改變自己，依然有很大的機會恢復健康。

我在此以十分嚴謹的態度，告訴所有癌症病人以下三點：

■癌症不是局部或某器官的病，而是全身的病，更是身心靈的病。

許醫師抗癌加油站

當我每天接觸癌症病人，累積豐富經驗後，已可大略看出病人是否能活下去。凡是願意真心懺悔、反省、檢討者，則可預知他希望無窮。如果能進一步主動說出對癌症、甚至對死亡無懼的看法，則可以清楚知道他已經完全跳出癌症之陰霾，要重新開始人生了。

■要一輩子學習與癌共存，終身做好身、心、靈之修練。
■請參考我的癌症雞尾酒自然療法（詳第121頁）。

再一次面對生死

罹癌三年來每天過著感恩、感謝與感動的日子。每天都是我生命最後一天，也是生命的第一天。我深知抗癌是一輩子的事，因此從沒有放鬆過，天天修練我的身、心、靈。

我開放手機給所有癌症病人以及需要醫療諮詢的人，我深深感受到他們的恐懼、無助、緊張，甚至絕望、崩潰，我多麼希望能幫忙他們，即使是一句安慰的話。即使救不起他們，也希望他們能很平靜的走完人生最後一程。在我提供協助的過程當中，最最困難的是如何扭轉癌症病人的情緒。我認為，誰能夠化解癌症病人的恐懼，讓他們早日跳出面對死亡的陰霾，誰就可以拯救癌症病人。

九十四年十月某天，我再一次面對生死情境，也再一次體會出老天爺的厚愛。那天早上大號時，一擦屁股竟然看到血跡，而馬桶裡也是一灘血水，心裡閃過一個念頭：癌症復發了！即使已經經過三年的歷練，即使曾經面對幾千人大談特談生死問題，即使讀過上百本宗教、養生、癌症的書籍，一看到這灘血，依然被嚇出一身冷汗。我勉強站好，愣住好一會兒，三年前那種剛被宣布得到癌症的心情一下子統統湧上心頭。我匆匆穿好衣服開車上班，腦子一片混亂，行屍走肉的感覺再度出現。

記得有一次我對眾多癌症末期病人演講，不斷激勵他們，希望他們能夠跳出陰霾，一位癌末病人消沉地說：「許醫師，你的腫瘤已經消失了，當然很輕鬆，但我已經是末期了，身體痛得很，你叫我們如何跳出陰霾？」當時我裝出一副很勇敢的樣子、一臉剛毅表情，甚至帶點責備的口吻回答他：「我能，你爲什麼不能？」但是，現在事情再度發生在我身上，我才知道我的勇敢與剛毅如此不堪一擊。

之前當我面對癌末病人感到輔導無力時，常跟朋友說，希望自己癌症也復發，甚至是末期，那我才更有說服力，朋友都用力搖頭說：「不要烏鴉嘴，不吉利！」

到了診間，看到兩位慕名而來的癌症病人。一位是六十歲的婦人，一年前被診斷出大腸癌，她因為害怕沒有接受治療，病情惡化到第四期，三星期前因為腸阻塞緊急開刀，切除癌症，並做人工肛門。她想問我是不是一定要化療？另一位七十歲的先生左邊腎臟疑似有腎臟癌，醫師建議早日開刀切除，病人害怕開刀，又擔心手術後剩下一個腎臟怎麼辦？

我嘴裡勸兩位病人應該勇敢面對，但是心裡卻只想告訴他們：「我癌症復發了，我正在慌得不知如何是好！」勉強看完門診，一身疲憊回到家裡，吃不下午飯，躺到床上，希望能一覺不起，就這樣走了痛快一點。偏偏睡不著，腦子裡浮現前些日子剛寫完的一篇有關癌症復發的文章：

「癌症病人有兩個危機，一個是剛剛被證實罹患癌症之時，此時雖然驚嚇，但至少醫院治療尚且有效，而且周遭支持的力量尚夠，大部分病人都可以度過。但是經過一段時期，可能是幾個月或幾年後，發現癌症復發了，這是第二個危機，也是更可怕的危機。病人會認為過去的努力都白費了，甚至錯了，會開始埋怨、怒罵到絕望，最後崩潰。加上醫院所提供的化療、放療或開刀都已經無效，因此癌症復發無疑是百分百的宣判病人死期近了。」

這些字一字一字敲進我的心坎裡，我開始整理頭緒，尋求解決之道。聖嚴法師的「面對它、接納它、處理它、放下它」又提醒我，我開始思考對策：

如果腫瘤已經很大，塞住大腸了，那只好開刀。

如果腫瘤不大，我會選擇放射療法，雖然效果不甚理想，但畢竟三年前有過經驗。

如果已經轉移，甚至肝臟都有，也就是末期了，各種治療都已無效，那我只好繼續過去三年來所走的自然療法。

但是，如果證實癌症復發了，是否意味著我所走的自然療法是無效甚至錯誤的，那我還能繼續輔導別的癌症病人嗎？當別人知道我復發了，失敗了，過去聽我話採用同樣方法的病人是否會罵我是騙子？或者更嚴重，將導致他們喪失信心、病情加重？

正當我心情亂糟糟時，來了兩通癌症病人家屬的電話。一位是肝癌末期併發脊椎轉移病人的太太。她焦急地問我說，雖然病人已經接受放療以及吃一些我所建議的抗癌食品，但是脊椎腫瘤更大了，怎麼辦？

怎麼辦？我眞想告訴她，我也不知道怎麼辦，因爲我正遭遇跟她先生一樣的問題。可是，別人的求助忽然又激起我內心的力量。我勉強回應這位太太說：「不要去理會癌症有多大，要以置之死地而後生的精神，繼續努力做好身心靈之修練，放下一切，努力練功，服用抗癌產品，大量喝水，遠離污染，千萬不要躲在家裡哀聲嘆氣，自以爲沒救了！」

另一位是剛從美國學成回國的醫師的太太。她眞是不幸，不僅自己乳癌復發，六歲的獨子也罹患了血癌正在化療中。她接受我的建議開始喝電解水、改善飲食、練梅門平甩功、服用抗癌食品及天仙液，感覺很不錯，這是她第二次來電。記得一個月前來電時，電話那頭傳來的聲音充滿驚慌與無助，經我開導與鼓勵，加上她自己的心念轉變，如今聲音聽來充滿著希望與感激。她先生是我的學生，我在奇美醫院工作時，她先生是成大的住院醫師。她不斷提到如何佩服我的臨床成就與工作態度，更對我罹患癌症竟能勇敢的走上自然療法，重獲健康，讚美有加。

聽到這一席話，我猛然跳起來。過去我鼓勵別人，現在換成他們在鼓勵我。怕什麼？復發就復發，三年前我已經寫過遺囑，生死早已置之度外，儘管最近我計畫很多，也許都泡湯了，但人生就是這樣，永遠無法預期。下午兩點半我準備回台南看診，出門前再去上一次大號。坐在馬桶上我閉眼睛向上帝禱告：「老天爺你讓我多活了三年，健健康康的三年，三年中有很多貴人幫我忙，我也幫忙了很多癌症病人，因此我對自己的人生已經非常滿意，感激了。如果老天爺能再次幫助我克服這次癌症復發危機，我將百分百把餘生完完全全貢獻給癌症病人！」

許醫師抗癌加油站

癌症復發是癌症病人第二個危機，因爲心理被徹底打敗了，很多人從此一蹶不振，而復發後的治療可說是痛苦又無效。醫師可能會馬上安排化療或手術，事實上醫師都知道，即使再用更毒的藥或手術再切除癌腫瘤，只是拖延時日而已，爲怕嚇壞病人不明講罷了。

當然馬桶裡依然一灘血水，但是我已經不再恐懼了。在回台南的自強號上，我望著綠油油的嘉南平原，忽然感受到十月那種秋高氣爽的舒適，我練了幾回梅門氣功，精神立刻好轉起來。到了之後我請市立醫院胃鏡室安排大腸鏡檢查，安排的時間是第二天早上八點半。奇怪，三年前也是星期五被發現罹癌，隔天就接受大腸鏡檢查。一切情境非常熟悉，但此時此刻內心一片寧靜，不再害怕了。當晚我依照指示喝了瀉藥，一瀉到天亮，身體很虛，精神也不很好。老婆問我是否要人陪伴，我回說不用了，大腸鏡已經做過好幾次，很有經驗。隔天早上我準時向胃鏡室報到，爲我準備的護士竟然是三年前同一位小姐，她一看到我就說：「你氣色好好哦，你很勇敢，你的故事我們都很敬佩！」看，又一位貴人在幫助我！

打了一針止痛針就上檢查台，這時一位年輕的主治醫師出現了，我主動向他報告我的病情。在護士的協助下醫師很熟練地插入大腸鏡，一點都不痛。由於我流的是鮮血，所以腫瘤應該是很淺、很接近肛門。檢查時我不僅不緊張，還直盯著電視影幕，當看到我以前直腸癌的位置時，竟然只有一點點疤痕，組織已經長得很正常了。大腸鏡很快伸到盲腸，甚至已經穿入小腸二十公分，都很正常，並沒有看到出血。醫師將大腸鏡慢慢回抽，再看一遍還是很正常，直到肛門口才看到出血點，原來是痔瘡出血。

天啊！三年前第一次大便出血，自以為是痔瘡出血，結果是癌症；這一次直以為是癌症復發，竟然是痔瘡出血！

感謝老天爺，你對我太好、太仁慈了，竟然出現這最好的結局！老天爺不讓我走，是託付給我更大更多的任務。我發過誓，只要能克服癌症復發的危機，我將無條件貢獻餘生幫忙其他癌症病人。現在證實只是痔瘡出血，但是我的心歷路程就是癌症復發，這次再度讓我面對生死，再一次深度體會，眞正感受癌症復發的心境，以後我對癌症復發的病人的輔導會更有經驗。

再一次面對生死，再一次的感謝老天爺，再一次的發願！

第3章

你所不知道的醫療眞相

這三年來，我走訪各農場、實驗室、工廠、研究單位，
並與很多科學家、醫師、養生修行家當面請益。
這些寶貴經驗讓我發現即使是癌症末期，
如果病人心志尚未喪失，還可以進食與走動，
周遭支持力量尚夠，依然可以大力協助他恢復健康。

健保制度下的醫療品質

身為一位具有二十年臨床經驗的外科醫師及直腸癌的病人，加上這三年來所接觸的約二千位癌症病人，再回頭看看現在醫療制度、癌症治療、病患權益、醫師態度，讓我不禁搖頭嘆息。

台灣的全民健保已經推行超過十年，民眾滿意度高達七成，這是因為健保「俗擱大碗」，尤其是對弱勢族群，完全以社會福利方式來給付。如今不過幾年光景，就面臨嚴重的財務危機。當初政府讓健保倉促上路，導致問題一籮筐，現在為求苟延殘喘，只得挖東牆補西牆，當初的理想早已蕩然無存，醫療品質亦每下愈況。尤其是推行所謂總額制之後，中小型醫院都面臨斷炊之命運，連帶醫師薪水也直直落。

一個腦部手術，在七折八扣之下，醫師實際上所能拿到的不過五千元左右，有些醫師為求自保，就以多開刀、多檢查、多給藥、多住院等方式，企圖維持昔日所得。可憐的病人與家屬，對醫學一竅不通，只好任由那些沒有醫德的醫師擺佈。且看看下面四個例子：

※

腹脹的王先生回診看檢查報告，在等報告的那幾天，他緊張到吃不下睡不著，結果醫師瞄一眼報告就對他說：「你肝臟有一顆腫瘤，已經五公分大，惡性成分高，馬上住院，明天開刀。」隨即叫護士給他住院單塡寫。王先生被醫師的判決嚇得腿都軟了，腦子也一片空白，醫師見他沒反應，再問一句：「同不同意開刀？」他回答不出來，醫師馬上說：「叫下一個病人！」

※

台中一位老師得到大腸癌，接受腫瘤切除及做人工肛門；半年後轉移到肝臟，又接受肝臟腫瘤切除及化療；幾個月後腫瘤轉到肺部，又接受肺部手術；不到一年轉移到脊椎，再接受脊椎手術。第四次手術前醫師告訴他，不趕快開刀就會四肢癱瘓，哪知一開刀後病人才眞的起不來了。不到兩年接受四次大手術，病人根本沒有一天好日子過，病情還日漸惡化。我去看他時，他已經骨瘦如柴，實在很讓人心痛，這位老師第四次手術之後兩腳癱瘓，很快就往生了。

醫師都知道，癌症一旦轉移，任何治療都只是治標，此時應該以對病人傷害最少的治療爲主，頂多會安排化療，再動手術絕對不宜，但是這位可憐的老師卻先後被「宰割」四次。難道醫師不知道再動手術只會傷害病人、加重病情嗎？

※

一位乳癌病人在手術後轉介到腫瘤科接受化療，半年後檢查胸部有塊陰影，懷疑是肺部轉移，醫師再安排六個月的化療，並換上第二線（更毒的）藥物，病人體重劇降、臉色翻黑、體力大減，六個月後檢查發現腫瘤不僅沒有縮小反而更大，於是醫師再更換最新的自費化療藥物。如此前後三年，病人被折磨得不成人形，三年半不到就往生了。

※

一位卵巢癌病人在甲醫學中心手術後，一直有腹瀉、腹漲、小便不順的困惱，由於主治醫師難得出現，症狀又不見改善，病患轉院到乙醫學中心。乙院醫師要求病患回甲院影印手術記錄、病理報告及病歷摘要，甲院醫師卻百般刁難，病家奔波數次，最後只拿到一張簡單的摘要。乙院醫師無法獲得詳細的治療資料，只好重新檢查，並開始化療，才做了三次，病人就出現腎衰竭、胃腸出血，化療只得終止。以後的半年病患進進出出各大醫院，最後出現腹水肝昏迷而往生。

以上例子只是我聽到的千百個案例中的幾個。癌症是重大疾病，醫師問診要清楚，診斷要明確，解釋要詳盡，治療計畫要周詳，手術前後可能發生之併發症或後遺症也要詳加告知，這不僅是基本的要求，更是起碼的態度。現在有好多醫師看診態度草率馬虎，發生問題後，不是再次恐嚇病家說來日無多，必須加強治療，就是將病人轉科或轉院，將責任推得一乾二淨。

這些醫師的醫德固然可議，但健保給付低得離譜也不無責任。癌症手術風險極大，一旦發生意外，責任幾乎完全由醫師來承擔。醫師做一次手術，健保只給付幾千元，可是萬一遇到醫療糾紛，病家之要求常高達幾百萬、甚至千萬，要醫師如何面對？難怪願意認眞做癌症治療的好醫師如此難求，醫師們爲求自保，病患的權益也就拋在腦後了。

醫療與醫學有其限制

就醫院角度來說，健保制度問題重重，經營的約束太多，發展困難，因而導致財務危機。醫院找不出對策，只有讓服務縮水、品質下降。而有些醫院爲了生存，甚至造假虛報，最後的結果是負責人吃官司或醫院關門。

其實醫療事業的本質也是很特殊的，要在各方面都達到高標準，的確需要極大的努力。可以從以下三方面來談：

醫療行爲

■**病人自動上門**：幾乎所有行業都得努力吸引顧客上門，而醫院的顧客——病人永遠是自動上門「求」診，醫師自然變得高高在上，哪會有尊重「顧客」的觀念，更別說當成衣食父母。

■**只重視治療**：由於傳統醫學教育的關係，幾乎所有醫師都只頭痛醫頭，腳痛醫腳，加上爲了增加收入，只要「顧客」上門，就給以治療，不管是否必要。事實上很多症狀只要教病患改善生活飲食即可，並不須要治療。更甚者，

許醫師抗癌加油站

癌症是重大疾病，醫師問診要清楚，診斷要明確，治療計畫要周詳，手術前後可能發生之併發症或後遺症也要詳加告知，這是最基本的要求與態度。現在很多醫師看診草率，發生問題後，不是恐嚇病家說來日無多，就是將病人轉走，將責任推得一乾二淨。

由於健保規定繁多，各項給付不公平，加上審查標準不一，舉凡重複用藥、與病情不合、併發症幾付減半等項目，一旦犯規即要加數倍處罰。因此很多醫師爲降低損失，看病完全以健保規定爲依歸，被迫放棄醫學專業。當然最後損失的還是病人本身。

■**醫病不醫人**：傳統西醫醫學教育只重視唯物醫學，加上臨床醫學偏重病理分析，一向忽視病人的情緒、感受、生活品質等，可說是醫病不醫人。

醫院管理

■**巨額的人事費用**：醫院是「人服務人」的事業，而且是高度專業的行業，很多醫療工作是無法被機器取代的，無論大小醫院都必須晉用大批專業人員，因此人事費用通常會接近總支出的一半。

■**昂貴的醫療設備**：醫學科技日益進步，新的設備與技術也不斷開發出來，醫院爲保有競爭力，必須不斷更新設備，因此設備成本永遠居高不下。

■**醫療浪費**：由於醫療是極爲複雜、煩瑣的專業事業，人爲疏忽、住院流程、儀器故障、醫療糾紛等都會導致人、事、物、地的極大之浪費。

西醫本質

■**慢性病療效不彰**：儘管醫學科技進步神速，但是對一些慢性病如糖尿病、高血壓、中風、癌症、過敏、老化等，卻迄無治本的解藥，病人必須終身治療。

■**醫療行爲風險大**：雖然醫學已經進步到分子生物學，但對人體依然所知有限，很多病症都還妾身未明，導致治療也五花八門。當然有些醫療處置，尤其是侵入性的如開刀、內視鏡檢查、藥物治療都具備著某種程度的風險，一旦不幸事情發生，就易引起醫療糾紛。

■**排斥另類治療**：雖然西醫的每一種治療都必須經過研發、檢驗、測試、人體實驗等嚴格關卡，才准臨床使用，對於病人安全可說很有保障，但是由於西醫只重視唯物實證，缺乏身心靈之整體概念，常導致雖有科學根據卻違反自然原則的現象（詳第四章），因此併發症、後遺症、過敏事件等等層出不窮。不過另類治療少見堅實的臨床實證，當然也容易弊端叢生。如何讓兩者產生相輔相成之功效，是有識者該努力的課題。

親身感受到什麼是好醫院

過去二十年來，我從住院醫師、主治醫師、科主任做到醫療副院長，待過至少十家大大小小的醫院，對醫院的瞭解不可謂不多。說實在的，我對醫療制度、醫院的管理、醫院對病患的照護，都是非常失望的，當我自己當醫療副院長時，也曾經實施成立醫療團隊、設立病患服務專線、落實檢討會議，獎勵研究等措施，希望有助於改善醫療品質，而等到我自己生病後到和信醫院住院治療，才眞正感受到什麼是好醫院。

和信的醫師當然不一定是全國最優秀或技術最高超的，但是因爲醫師的薪資是採固定薪制加年終紅利，醫師不用忙著搶病人做業績。黃院長更強調醫師要醫病也醫人，看診時要聆聽病人說話，因此診間沒有電腦，避免醫師只盯著電腦不看病人，也不准接手機。一位醫師擁有數間診室，醫師需游走各診室，減少病人等候的時間。同時內外科不分次專科，醫師看診必須看「整個人」，而不是只看某個「器官」而已。

更令人激賞的是和信醫院眞正實現了團隊醫療，每一種癌症都有各專科醫師、治療師、藥師、衛教師等組成的團隊。每當新病人就診，無論是看哪一科，醫師必定在每週討論會上公開討論，會中不僅將病人所有的資料攤開，並且由各專科醫師提出所見，最後定出對病人最理想的治療計畫（稱之爲「臨床路徑」），之後再對病人細說明。

所有相關醫師、藥師、治療師、住院醫師等，都必須遵循這個臨床路徑徹底執行，病人也因爲事先知道每天要做哪些檢查或治療，放心多了。至於檢查或治療的詳細步驟與可能發生的狀況，也都會被事先告知。大家所要求的視病猶親、病人安全，我都在和信醫院看到了。

黃院長更規定醫師每週看診數以及每診人數的上限。醫師每週還必須參與各項研究或必讀最新醫學新知，和信醫院所採用的檢查或治療方法都是依據最新國際間之準則，黃院長之用心與卓越領導實在令人敬佩。

回想起我所待過的大小醫院，討論會不是開不成，就是會議記錄造假。檢查不僅馬虎，檢查前的告知也時有時無，病患安全更不被重視。經營者則鼓勵醫師多看診、多開刀，病患最多、賺錢最多的就是好醫師，結果是有效率、沒品質。很多癌症病人就是在這種經營理念下被犧牲掉。這些白色巨塔裡的內幕，外面的人當然無從得知，甚至有些病人明明被誤診誤醫，還一心感謝醫師呢。身爲一位醫師同時也是病人，我統統看到了，也親自體驗到了，看到悲劇不斷重演，我只能嘆氣。

自然醫學診療中心成立。

自然醫學診療中心暨希望病房

這三年來，我走訪各農場、實驗室、工廠、研究單位，並與很多科學家、醫師、養生修行家、工程師等當面請益。我也發願要將終生奉獻給所有生病的大衆，因此我彙整三年所學，於九十四年十二月在台中市林新醫院地下一樓成立自然醫學診療中心，希望藉由多元化的健康醫療團隊，提供專業、安全、天然、無毒的健康促進方式，讓病人在最舒適的環境中恢復健康，而「希望病房」就是這個中心最重要的一部分。

從這三年學習之旅所獲得的寶貴經驗，我發現即使是癌症末期，如果病人心志尚未喪失，還可以進食與走動，周遭支持力量尚夠，依然可以大力協助他恢復健康。「希望病房」所提供的就是這種積極的治療，也就是我所獨創的癌症自然雞尾酒療法。

許醫師抗癌加油站

「希望病房」提供的，就是我所獨創的癌症自然雞尾酒療法。在這裡，癌症病人三餐都食用無污染的有機素食、優質的電解水和天然、抗氧化之健康產品。我們鼓勵病人常常練平甩功或參加座談，而不是死氣沉沉的躺在病床上，同時也提供積極的生物能療法。

在這裡，癌症病人三餐都食用無污染、有營養的有機素食（非醫院提供的合成營養品），診療中心也會提供優質的電解水和天然、無毒、抗氧化、抗癌之健康產品。其次，我們鼓勵病人常常練平甩功或參加座談，而不是死氣沉沉的躺在病床上。同時也提供積極的生物能療法，也就是以一部德國研發的生物能共振儀（臨床使用已有四十年），來檢測病人之氣血循環、四十點經絡值等身體狀況，然後以正波強化病人之體質，以反波來排毒。病情有變化時，中心也會立即安排各專科專家會診。

「希望病房」成立至今已半年，每一位病人剛來時都是愁眉苦臉，舉步艱難，甚至是坐輪椅來。經過我的開導與鼓勵，都能露出笑容，雖然我沒有仙丹或特效藥，但只要病人心念能轉變，徹底執行自然療法，絕對是希望無窮。其中有六位病人因爲害怕又回到醫院治療而往生了，其他病患在中心都能以輕鬆愉快之心情接受自然療法。

這半年來希望病房約有二十幾位病患，且都是癌末病人，其中療效最明顯的是一位電腦新貴（他的故事詳見第五章），還有幾位末期癌症病人，雖然癌症依然存在，但是病情穩定。畢竟自然療法的眞諦並不是在抗癌或讓癌症消失，而是在自然無害的環境下，提升病患的免疫力與發揮人體自癒力。本中心對每一位病人都詳細記錄與追蹤，預定每年提出年度報告到醫學會發表。

第4章

癌症雞尾酒自然療法

就如李鳳山師父一再告誡的：「藥補不如食補，食補不如功補」。一個人如果只是天天吃一大堆補品，即使是有科學根據的，但是不運動、不練功、常常出現負面情緒，身心靈不同時修練，當然效果也不會好。

自然法則

生命來自大自然，自然就是眞善美，合乎自然法則就能生存，違反自然就要滅亡。自然法則是什麼？自然有何特色？自然療法又是什麼？與現代醫療有何不同？人類身爲萬物之靈，是否在追求享樂、現代化、科學化之時，也因爲不斷違反自然、破壞自然而走向滅亡之路？

自然有以下三種特性：

自然是一個自律系統

任何一個生命的誕生、突變或滅絕都有前因後果，都有蛛絲馬跡可循。一種變化起源於上一種變化，也導致下一種變化。電影「侏儸記公園」裡一句名言：「生命自會發現它自己的路！」自然界的現象，無論是風調雨順、狂風暴雨、地震海嘯都不是無中生有，而是其來有自，災害之後常是新生命的開始。

大自然不會無故囂張，更不會無理取鬧，但是人類不斷破壞自然，甚至自以為人定勝天，這種無知與不自量力，正是人類遭致禍害的原因。

自然是一個平衡系統

無論是無機物（如山河）或有機物（如動植物），都在不斷的變化中取得平衡。一種生命的開始或結束，最初雖然有所激盪，但最後都歸於平衡狀態。進化論大師達爾文有一句名言：「物競天擇，適者生存」，自從地球生成之後幾千億年來，數不清的生命出現過也消失過，每一種生命在自然界裡都是互相依存，在求生存之中取得平衡。而物質不滅原理也告訴我們，生命滅絕並不是消失，而是以另一種形式在另一種時機再度出現。沒有一種生命或現象可以永無止境的發展下去，更沒有單一種生命或現象可以主宰自然，而是在有進有退、有高有低、有強有弱之中變化下去。中國古代聖賢不是早已告訴我們：陰陽調和，一切歸一嗎？整個宇宙不都是在平衡中運轉嗎？

人類既是自然界裡的一種生物，當然也適用於這種孕育、成長、茁壯、衰退、滅亡等平衡法則。所以當人類繼續不斷破壞大自然時，大自然也不斷反撲回來。這正是天災人禍的一種平衡。

自然具有自癒能力

自然既然能自律，自行管理自己，也能在變化之中取得平衡，當自然遭受到重大傷害之時，也會啓動其自癒能力。譬如大火燎原之後，雖然寸草不留，但是春風吹又生，新的生命很快又出現了。自然總是會適時發動強有力的自癒能力，讓自己永遠維持下去。

嘆爲觀止的人體

人體是一個非常完美的自然物，不僅能自律、能平衡、也能自癒。人類不僅是萬物之靈，也是唯一可以直立行走的生物，具有思考能力，能主動、有智慧的、適時的去適應周遭的變化，因此人類能主宰這個世界。但在平衡法則之下，有得必有失，人類不可能得天獨厚，所以當獲得很多功能之後，也失去了很多的功能。人的視覺比不上老鷹，嗅覺比不上狗兒，彈跳輸給貓咪……，人的弱點處處可見。

人體有六十兆細胞，每一個都互有關聯，也永不罷工。平時分工合作以維持人體正常運作，一旦人體受到外傷或外物入侵，這六十兆細胞馬上動員起來，無論是偵測、作戰、運補、後勤、支援、修補、復原、整編等，無不團結一致毫無怨言，而且是前仆後繼，即使自我犧牲也在所不惜，直到任務完成爲止。

人體的自律系統裡每一個細胞都有其專一的、明確的任務，既不會無故作亂更不會投機取巧。像是人體內的自律神經是一種天衣無縫的系統，它自動自發的指揮所有維生系統如心跳、出汗、體溫調節、腸胃蠕動等，隨著人體的需要加快或減低。免疫細胞執法時更是絕對嚴格、毫不留情。

人體內的平衡系統運作更是教人嘆爲觀止。無論是體溫、血壓、呼吸、酵素分泌、血流，無一不在力求平衡，而且是一種動態式的平衡。當人體在休息時，血壓低、呼吸慢；吃飯時，酵素自動分泌、胃腸蠕動加快；運動時，氧氣適時運到，血壓上升、體溫升高、廢物順利排出；恐懼害怕時，心跳立刻加快、肌肉緊張、血管收縮、類固醇大量分泌。因爲有這種種的平衡，生命才能維持下去。

再說自癒力。人體若沒有自癒力，是無法存活下來的。當自律失調、平衡不再時，就是人體生病之時，這時自癒力會馬上啓動，例如血液凝固、傷口癒合以及發炎的復原，在在都是人體的自然修復力與免疫系統在發揮作用。同一疾病發生在不同人身上，即使接受同一治療方式，也常會有不同的結果，其最大變數就在於不同的免疫力與自癒力。當人生病就醫時，醫師所提供的治療只是外在的協助，健康之維護還是端賴我們的自癒系統。

上帝賜給人類一個巨大的腦，內含高超的智慧。人類活用這個有智慧的腦，一方面保護自己，一方面也積極改善生存空間，但人類在追求進化之中卻也破壞了自然的自律與平衡法則，最後受害的終究是人類。以嚴重急性呼吸道症候群（SARS）爲例，當人類食用野生動物後，原本寄生在動物體內的冠狀病毒進入人體，爲求生存只好突變，這一突變就造成人類的浩劫。人類爲求生存，積極尋求治療之道，妄想發明各種藥物或疫苗來殺死病毒，但是在自然法則之下，這種對抗的、互相殘殺的作爲，是難以成功的。

對抗式的現代醫療

中醫講究的是陰陽協調、五行運行、經絡通暢，而西方醫學講究的是病因病理、科學根據、對抗治療。中醫表面上難以用科學來解釋，但卻已經運作幾

許醫師抗癌加油站

當自律失調、平衡不再時，就是生病之時，這時自癒力會馬上啓動。同一疾病發生在不同人身上，即使接受同一治療方式，也常會有不同的結果，其最大變數就在於不同的免疫力與自癒力。醫師所提供的治療只是外在的協助，健康之維護還是端賴自癒系統。

千年，而西醫雖然講求科學根據，卻只有幾百年之歷史，而且理論或治療方式還在不斷更新中。

西醫最有成就的莫過於抗生素之發明與手術的發展，可說對急性病之治療的確有一套，但是對一些慢性病卻只能治標不能治本，而且，一味追求對抗式的治療，只會讓病人疲於治療且事倍功半，癌症治療就是如此。癌症的起因至今有各種假說，因此治療方式五花八門，西醫所提供的化療、放療及手術，只能達到局部的、有限的療效，但是在治療過程中卻也同時破壞人體的自然法則，讓病人的免疫力降低、身體痛苦不堪、長期處於恐懼之中。

有少數西醫內心早已對西方正統醫學存疑，而且也走上自然療法，但絕大部分西醫依然認爲自然療法是毫無根據的。沒錯，西醫講究的是科學，幾乎所有的藥物都是研究人員歷經無數次的失敗，與數不清的金錢投資，才研發出來的，表面上很科學，但許多西藥的藥理都是用阻斷、競爭、破壞或抑制人體內某一種生化反應或分子，來達到另一個目的，用在人體上，是反自然的。

譬如用量最大的止痛劑，就是阻斷了一種補助酵素COX1或COX2，使前列腺素引起發炎的功能被阻止了，表面上紅、腫、熱、痛的症狀有效改善，但事實上病情卻惡化了。因爲前列腺素所引發的發炎反應是人體自癒力的重要表現，同時前列腺素是細胞膜的重要成分，具有保護細胞的功能，這兩種功能同時都被止痛藥抑制，因此很多病人在長期服用止痛藥後，輕者引發胃潰瘍，重者傷及肝腎。

而使用在癌症的化療藥，其作用機轉不外是經由抑制去氧核醣核酸（DNA）合成或阻斷有絲分裂，或抑制血管內皮生長因子（VEGF）或干擾DNA信息傳遞導致癌細胞凋亡。這種追殺癌細胞的療法不僅讓病人承受嚴重之副作用，其療效更是有限，因爲癌細胞具備有人體幹細胞之功能，被追殺之同時會發生抗藥性與突變，因此對抗式醫療永遠是疲於奔命，得不償失。

西醫目前所提供的治療是不完美，不完全的，如果能適可而止的借用科學的西醫加上自然療法，相信是取得雙贏的明智之舉。

什麼是雞尾酒自然療法？

自然療法注重的是如何提高人體的免疫力、如何發揮自癒力，並摒棄所有會破壞人體免疫力或阻礙自癒力的治療。合乎自然當然也合乎科學。

我常舉下面的例子給病人聽：當我們發現小偷時會馬上報警，希望警察把小偷抓去關起來。但是小偷抓得完嗎？這些小偷都是天生的嗎？當然不是，可能這些人是因為環境、家庭或是欠缺教育等因素造成的。如果要小偷絕跡，唯一有效的方法就是改善環境，讓他們從小就接受好的教育。如果社會環境很好，縱然出現幾個小偷也不必刻意的去抓他們，因為在好環境之下，他們自然會被感化。同樣的道理，罹患癌症後，如果我們努力做好身心靈修練，把身體環境淨化了，免疫力提升了，癌細胞不是乖乖待著，就是自動逆轉回來，不然就只好自動凋亡。

雞尾酒自然療法主要包含下面九項，以下將分別說明。

■到醫院做適度的檢查與治療

■飲食治療
■抗癌產品
■天仙液
■細胞食物（ATP Zeta）
■電解水
■生物能療法
■氣功療法
■心靈療法

一、到醫院做適度的檢查與治療

雖然我在放療之後就放棄醫院的治療而走上自然療法，但是我並沒有完全反對西醫的治療，相反的，我常常鼓勵病人去接受西醫的檢查與治療，只是要適可而止。不過何謂適可而止，是很難拿捏的。

先談檢查的必要。治療癌症的原則是早期診斷、早期治療，所以身體有異樣要到醫院檢查，無病也要定期做好身體管理，健康檢查就是一個選擇。縱然科技的進步，使得醫院的檢查愈來愈精細，但以目前最好的檢查如正子影像、核磁共振等高科技，要發現一公分以下之異常癌症腫瘤仍有困難。而一公分大小的癌腫瘤至少有一億個癌細胞，也就是說等到檢查出來都已經太晚了。當治療告一段落後，醫師請你定期到醫院檢查，請不要迷失在檢查結果中。如果檢查正常，不要以為癌症已經治癒而高興過頭，如果檢查出有小小腫瘤復發，也不要以為已經無救了，因為你身上還有六十兆正常細胞在保護你。

記得去年一次腹部超音波檢查，發現我的膀胱後面有兩個淋巴腺腫大起來，醫師不敢確定是否復發，我則大膽認定就是癌症復發。很多病人在發現癌症復發後就崩潰了，我則更加檢討、激勵自己，期勉自己加倍努力，做好身心靈之修練。後來再次追蹤，腫瘤果然消失了。要是定力不夠，過度憂慮，加上醫師也建議再度化療，病情當然只會惡化。

檢查雖屬參考性質，但卻不能放棄，有很多人不敢去檢查，因為害怕萬一聽到不好的結果。記得有一次接到一位女士來電，她一開口問：「你是許醫師嗎？」我答覆：「是」，她馬上哭了出來，好不容易等她情緒穩定下來，我詢問有什麼事可以幫忙，她說她是開業的小兒科醫師，四個月前自己在左乳部摸到一個腫瘤，因為害怕，不敢去檢查做切片，逕自去吃草藥（一個正統的西醫，生了病竟然做如此之決定！），四個月後腫瘤更大，她快崩潰了。我不斷安慰她鼓勵她，希望她到醫院接受該有的檢查與治療。由於病情之延誤，手術中已發現癌症蔓延，術後她接受了長達一年的化療。雖然我相當反對化療，但還是希望她能堅強面對。

癌症是重大疾病，一定要做出最正確之診斷，絕不可瞎猜，前面提過，切

許醫師抗癌加油站

雖然我走上自然療法之路，但是我並沒有完全反對西醫的治療，相反的，我常常鼓勵病人去接受西醫的檢查與治療，只是要適可而止。治療癌症的原則是早期診斷、早期治療，所以身體有異樣要到醫院檢查，無病也要定期做好身體管理，健康檢查就是一個選擇。

片是唯一可能做出正確診斷的方法。不過有時腫瘤很深，切片無法做到，只好依醫師的臨床經驗判斷是否是癌症。隨著科技進步，檢查技術會不斷提升，將來可能只要一滴血或一根頭髮，就可以檢查是否罹患癌症，或更神準的知道癌細胞在哪裡。且讓我們拭目以待吧！

再來看看癌症的治療。目前醫院所提供的癌症治療不外乎手術、化療、放療（免疫療法剛起步）。無論何種療法都是在追殺癌細胞，雖具有一定的療效，但是卻也有相當之副作用。依我二十年臨床經驗以及三年來所累積之實際體驗，我以為適度的癌症治療需考慮以下幾點：

1. 充分瞭解治療的利弊得失

醫師應考慮癌症種類、病人病情、接受程度及可能發生之併發症或後遺症，在治療前與病人詳細說明討論，且務必讓病人或家屬充分瞭解治療之利弊得失，在病人充分瞭解並有充裕時間考慮下，自行做出明智之決定。經過如此完整之決策過程，即使發生併發症或後遺症，由於病人或家屬事先已有充分準備，常常能勇敢面對或接受。

2. 團隊醫療才是最佳治療方式

癌症是非常複雜的重大疾病，需各科專家組成醫療團隊，共同為病人尋求最佳治療方式，如外科、腫瘤科、放射治療科、精神科等之參與，透過各專科之商討，訂出對病人最佳之所謂「臨床路徑」治療模式。之後即確實執行，但事實上在健保壓力之下，各大醫院根本做不到。

3. 手術未必要「趕盡殺絕」

只要不造成身體太多傷害或功能性之損壞，皆可以考慮手術。正統醫學所主張的癌症手術通常是斬草除根，做大範圍的全切除，這在理論上是有根據的，但是卻犯了一個很嚴重的錯誤，就是「只看到病，沒看到人」。我見過很多病人在接受癌症大手術後就一蹶不振，從此離不開醫院，直到往生。我個人以爲手術的原則應該是「傷害相對最少、療效相對最高」，病人手術後還能維持基本的生活品質，是非常重要的。

※

有一位訪問過我的記者，罹患股骨軟骨肉瘤（chodrosarcoma），這是一種不會轉移、但容易在原處復發的癌症。三年前第一次碰面時，他已經開了十餘次刀，一拐一拐地走路。我建議他採用自然療法，他聽不進去。三年後我再聽到他的消息時，人已經在安寧病房了。我打電話關心他，電話那端傳來很微弱的聲音，原來這兩年來他還繼續接受手術治療，前後總共超過二十次，直到醫師不敢再爲他開刀爲止。

※

一位三十五歲的媽媽，一年前因腰痛被診斷是右骨盤纖維肉瘤（fibrosarcoma），這是非常惡性的癌症。在一家醫學中心接受右半骨盤及右下肢之全切除，手術後病人全身劇痛，整天必須俯臥床上，連翻身都困難。隨後半年因爲癌症復發及劇痛又接受六次大手術，不僅骨盤、膀胱、大腸甚至脊髓神經都被切除。結果呢？大小便失禁，痛不欲生。九十五年過年前她的主治醫師介紹她來看我，她是一路用救護車送到醫院，再用推床推到我門診。我一看到她嚇了一大跳，這是人嗎？下半身只剩下一支左腿！她的痛根本不是傷口或癌症所引起的，而是截肢後之幻肢痛，切除脊髓神經根本無濟於事！她現在靠天天施打嗎啡過日，對這位被現代醫療摧殘的不成人樣，毫無尊嚴的癌末病人，誰能幫得上忙呢？

※

一位胃癌病人一年前接受胃全切除手術，之後由於進食困難，體重急速下降，這是必然之後遺症。半年後發現腹腔內有癌症復發，她再接受大腸造口及腎臟引流手術，結果在醫院住了四個月，體重降到二十二公斤。有一天她主動來看我，我瞭解醫院治療已經告一段落後，建議她出院。當她回診時興高采烈的告訴我，四個月來第一次看到太陽眞是興奮。我看到她一臉快樂的神情，不禁感嘆，醫師到底知道病人需要的是什麼嗎？可惜好景不常，她因爲長期營養不良，抵抗力極差，一個月後肺炎引發敗血症，最後導致多重器官衰竭而往生。

4. 仔細思考是否接受化療

很多癌症病人一見面就問我要不要化療？每一位癌症病人都不想化療，都希望有人告訴他不要化療，或者有其他方法或另類療法可以取代化療。每一次當我被問到這個問題時，我常常反問他們對癌症的看法是恐懼還是看開了？願不願意重新做人？如果願意，那麼當然可以不需化療。但我很少看到有人在大徹大悟之後勇敢決定不化療。絕大多數在醫師的威脅恐嚇以及親朋好友規勸之下，都會乖乖回到醫院接受化療。

就學理來說，化療的確可以殺死癌細胞，延長病人的壽命，醫師們常常說服病人接受化療，因爲他們說有化療的病人存活率較高。事實上是如此嗎？我絕不相信。因爲就我所知，有些醫學上的論文是造假的，是藥商與醫師同流合污的產物，能眞正誠實將正確資料呈現出來的，實在寥寥可數。記得一位國際知名的教授，代表國家受邀到一個國際會議上發表論文，我曾參與其中論文之研究，當研究團隊向他報告研究數據時，因爲統計數字不夠多，這位教授竟然指示把數據乘於二，我當場傻住。

醫師們就是根據這些論文資料做數字遊戲，對病人說不化療就如何如何，我曾經幾次在病房對癌末病人大聲吼：「我寧願到陽光下練氣功，也不會躺在病床上打化療！」

進一步來說，化療的藥物都是毒藥，不僅殺死癌細胞也殺死正常細胞，因此任何化療都會產生極嚴重的副作用，很多病人受不了副作用而終止化療，也

許醫師抗癌加油站

很多癌症病人一見面就問我要不要化療？是否有其他方法或另類療法可以取代化療？每一次當我被問到這個問題時，我常常反問他們對癌症的看法是恐懼還是看開了？願不願意重新做人？如果願意，那麼當然可以不需化療。

有不少病人因副作用而死亡。由於化療是主流醫學，加上我無法克服病人恐懼的心態，因此我常常告訴癌症病人：「如果換成我，我絕不會化療，但是請你自己做決定吧」。若病人最後決定接受化療，我會建議一些抗氧化、增強免疫力、且有科學根據的健康產品，來減低化療的副作用。

科技的發展突飛猛進，天天都有新的化療藥物研發出來，但都是換湯不換藥，原理都是利用癌細胞分裂之時，破壞DNA而殺死癌細胞。最近研發出來的抑制血管增生、輔助化療的藥物如AVASTIN或沙力哆邁等，雖是重大發現，但又貴效果又差，根據最近報載在美國已經有多人受害，美國食品暨藥物管理局已經要求廠商暫停生產，台灣衛生署也跟進要求廠商與醫院不得增加新病例（舊病例可以繼續使用）。

另一種所謂標靶化療，是利用微脂體（liposome）做爲載體，將化療藥如5-FU包裹在內，利用分子電荷互吸原理，把化療藥送到癌細胞處，再釋放出來殺死癌細胞，所以副作用較少。但當我想進一步瞭解其治療效果，要求代理商公佈其統計分析資料時，卻無正面回應。

※

我曾經會診過一位癌症病人，花了近一小時的時間跟他談話，感觸良多。這位六十歲的病人半年前因爲腰痛到一家醫學中心求診，做了核磁共振，發現腰椎第二節有骨頭破壞的現象，加上胸部X光顯示出右肺有一腫瘤，醫師建議他接受肺部內視鏡檢查及切片，但被他拒絕。醫師判斷他百分之九十九是是肺癌併發脊椎轉移，已經是末期了，最多只能再活幾個月。往後兩個月病人接受標靶化療。來找我看診是因爲左腳無力，需要依靠四角支架走路，才會診腦神經外科。

神經學檢查發現病人左腳肌力略差，但還可以走路，無感覺異常或反射異常，也無疼痛，所以建議不需手術，但行動要小心，以防骨折。我詢問病人現在感覺如何？他沒有直接回答我，只說醫師表示這種化療如何如何新、併發症如何如何少……，我打斷他的話，再問一次：「你的感覺如何？經過化療有進步嗎？」他想一想說：「沒有，好像更惡化了。」即使是自費十萬使用標靶化療，這位病人還是在三個月後往生了。

※

一位接受標靶化療的乳癌末期病人來看我，她說當她被說服使用標靶化療後，該公司即向衛生署申請藥物，並安排住院。她住院後，該公司竟然隨便找來一位泌尿科醫師掛名主治醫師，治療過程則完全由廠商來主導。

我告訴她雖然標靶治療副作用低，但是其化療藥物是5-FU，這對末期癌症是沒有效果的，何況爲了施打藥劑必須住院二十天，天天得躺在床上，心情會好嗎？氣血循環和免疫系統會提升嗎？她回答說：「很多人在用呀。他們說副作用少，我已經是末期了，所有治療都無效了，這是沒辦法中的辦法。不打那我怎麼辦？等死嗎？」看她心念無法轉變，我只好祝福她。四個月後她走了。

5. 瞭解放療的效果和副作用

放療主要是局部治療，只有局部效果，引發的副作用也不少，如口腔癌症接受放療後，可能出現口腔潰爛、皮膚壞死，嚴重者需要補皮手術，也可能因關節破壞而無法進食；如照射下腹部，可能引起消化不良、膀胱纖維化而頻尿等。我個人在放療之後一段時間，每晚都需要起來排尿二至三次，會干擾睡眠。

醫院治療如何適可而止，端看個案。基本上能夠手術而不傷害身體機能者，以手術爲優先，其次是放療；如果是淋巴癌或血癌，則以化療爲唯一考量。

二、飲食治療

1. 吃素

回想當初住院時，醫師說治療期間相當漫長而傷身體，尤其是手術更消耗體力，所以要求我多吃高蛋白食物。最初我遵照醫囑，一天喝十瓶雞精，直到我讀了很多抗癌成功的故事之後，發現其中絕大多數就算沒有吃素，也吃得很清淡，加上住院期間醫院送來的高營養化學食品令我作噁，因此住院第二星期之後我就毅然決然開始吃素。

下定決心後，再也沒有動搖過。以後儘管看到昔日最愛的葷食佳餚，依然不為所動。剛開始我吃的是所謂的「肉邊素」，蛋奶不忌，蔥蒜也照吃。我的著眼點只是遠離污染，並無任何宗教或崇高理由。長時間吃素之後，我竟發現很多好處。

首先是體重減輕，從生病時的七十八公斤，以每個月減少兩公斤的速度，降到理想的六十六公斤。體重減輕之後，昔日的笨重感消失了，換得一身輕鬆。其次是排便順暢且大便不再惡臭。過去便秘是常事，放屁更是臭得嚇人，如今竟然可以在大庭廣衆間施放自如，不為人知。最後性格竟也隨之溫順起來，過去不怕衝突、好辯、性急等個性都改變不少，昔日好友看到我，都不敢相信我會有如此巨大之改變。

之後深入瞭解，發現素食不僅容易消化，同時內含活性營養素，可立即發揮功效；素食也多是高纖，纖維素既可助消化又可排毒，而且所有抗氧化、抗衰老、抗癌或吸收自由基的物質都是來自天然有機的植物。

從「癌症來自污染」的觀點看，大量飼養的動物，體內都含有抗生素或生長激素，當人類大魚大肉之後，不僅同時吃下這些有毒物質，也吃下了大量高蛋白、動物脂肪等難消化的營養素，這些用不完的營養素堆積在體內，久而久之就被轉化成毒素而使身體酸化，於是很多慢性病包含癌症就接踵而來。

李鳳山師父更一語道破茹素之最高境界：「一則養生，一則養德！」的確，長期吃素不僅遠離污染，個人之性情與情緒也會改變，所以古人有言：「情輕病輕」。吃素是身心靈修練必備之條件，重症病人尤其值得慎重考慮。

許醫師抗癌加油站

大量飼養的動物體內都含有抗生素或生長激素，我們食用時不僅吃下這些有毒物質，也吃下了大量高蛋白、動物脂肪等難消化的營養素，久而久之就被轉化成毒素而使身體酸化，於是很多慢性病包含癌症就接踵而來。

2. 有機素食

雖然吃素好處多多，但是不少長期素食者，甚至吃全素的出家人，依然會生病，其中關鍵在是否吃到好的素食。市面上有很多黑心素、加工素，對人體的危害恐怕不下於葷食。也有許多素食餐不是放太多油，就是採用有不良添加物的食材。眞正茹素不僅要不吃肉，更要重視素食之原味與營養。食物之營養素常常在高熱炒煎炸之中喪失殆盡，加上很多植物在栽種時，也被農藥污染了，所以即使是茹素，仍然可能吃不到營養，卻又吃進很多毒素，這也是有機素食愈來愈受到重視的原因。

生病第一年，我在中華有機協會創會理事長鄭先生帶領下參觀了很多有機農場，親眼看到不少有心農夫為了種植有機蔬果，費了很多苦心，如在農場四周架起保護帳棚、採用有機堆肥、注重食物鏈自然生態法、引進無污染之山泉好水灌溉等等，生產出很好的有機蔬果。但是由於栽種困難、產量少、成本高、市場小，長期以來努力再努力，有機事業在台灣仍然經營得非常辛苦。罹癌之朋友為了做好體內環保，遠離污染，最好還是多花點錢食用有機素食。

有機農場以無污染之山泉水灌溉，水渠長滿河蚌。

3. 四低一高原則

所謂四低一高就是低蛋白、低脂、低糖、低鹽、高纖維。第一次聽到這個說法是來自梅襄陽醫師介紹的新世紀飲食觀，我很快便接受了。以後看到更多資訊以及自己的體驗，更證實了這種飲食原則對健康的好處。營養專家或大衆都可以接受「三低」──低脂、低糖、低鹽，唯一有爭議的是低蛋白，醫界更是反對，理由是很多病人在接受治療期間往往營養不良而至免疫力降低，導致各種併發症死亡，因此高蛋白是所有醫師及營養師所建議與堅持的。

事實上蛋白質固然是身體重要營養素之一，但是很多病毒或毒素也是蛋白質或胺基酸演變而來，絕大多數資訊告訴我們，一份均衡的飲食中，蛋白質只需佔百分之十即可，過多即無法完全消化。但是一般人飲食中蛋白質都高出很多很多，無法消化之過多蛋白質就會轉化成酸性毒素破壞身體。

三、抗癌產品

幾乎所有癌症病人都尋求過所謂抗癌食品、草藥或秘方。他們不斷拿各式各樣的產品請我鑑定，同時因爲看到衆多癌症病人從幾個月到幾年，甚至十年後都在復發，而一旦復發，西醫幾乎是束手無策，逼使我努力去研究抗癌產品，很可惜很多台灣的醫師認爲這些最新的營養醫療是另類而無效的。但是根據我自己的體證，以及親眼看到一些重症病人因爲採用了營養補助療法而改善病情，或甚至腫瘤消失，我相信營養複方補助法絕對是明日之星。

我參加過無數次產品說明會或健康講座，內容幾乎都是千篇一律：先有一段感人或震撼的影片做爲開場，接著是請一些名嘴或專家學者強力推薦，然後是幾位使用者的見證，最後是促銷方案說明及摸彩。現場一定會有一些臥底的拍手部隊負責製造高潮。很多癌症病人就在現場高亢的氣氛下購買產品。像是有一位自稱「戰勝癌症」的教授在一個直銷商公司所辦的座談會上演講，他說的一段話就讓我非常反感。他說：「要活下去，就要吃這些產品。好產品當然很貴，如果沒錢就去借呀！」這位教授傾全力在促銷這家產品，聽說業績嚇嚇叫。換成我是無論如何都講不出那些話來的。

我從旁觀察這些活動，瞭解到爲什麼他們如此敢說敢做而我不敢，最主要的原因有二：

■他們都不是醫師，而我是一位臨床醫師，看過太多失敗的例子。看多了當然不敢亂講。那些人只求賺錢，根本不瞭解醫學，即使是學者教授，除非兼有臨床經驗，否則光憑實驗室的研究，也是不足採信的。

■負責任之態度：如果沒有相當的把握，要癌症病人花幾萬元買產品，萬一失敗了，我良心一定不安。我常常質問這些廠商或代言人，爲什麼只有成功的見證而沒有失敗的呢？他們一定會說失敗的人都是沒有持續使用、用量不足、方法錯誤等等，好像都是使用者的問題，與產品無關。

在經過詳盡的科學求證後，我找到了不少值得信賴的抗癌產品。這些產品都須具備以下五個要求，我才會自己食用，等到確定安全而有療效時，才會向癌友推薦。

■產品來源清楚且有產地證明或進口證明。舉例來說，有家公司的巴西蘑菇號稱從巴西進口，但事實上卻是在大陸栽種的，而且被檢驗出有汞污染；另一家產品則是合成的。這類產品我一律拒絕。

■製造過程須有科學根據或認證：很多產品都大力表明具有神奇之療效，事實上從廠商的宣傳文字就可以判斷，其中資料都是抄襲的。必須有國內外公正單位認證，才能獲得我的信賴。如果沒有科技證實或認證，無論別人說得如何天花亂墜，我絕不採信。

■研發者願意與我見面詳談：我常要求進入實驗室，與經營者、工程師、經銷商深度會談，比較再比較，研究再研究，直到所有疑問獲得滿意解答。如果是好產品，研發者或公司負責人都會很誠懇的詳細說明，甚至很自傲的陳述其產品獨特之處。如果是假貨，一開口就知道對方在說謊。當然很多推銷員常以其三寸不爛之舌，引用各種假數據，或避重就輕、誇大其詞，利用癌症病人的心急、恐懼心態來銷售產品，害病人花了大錢又誤了病情，非常可惡。

■價格合理，公司制度健全：該公司所有資料必須儘可能公開，各項標示、檢驗報告都必須一清二楚。好的公司甚至會主動公開。公司經營方式，我也會去瞭解。不好的公司常常以這是公司秘密不得公開爲由拒絕我，事實上現在消費者意識已抬頭，愈公開的公司愈能得到人們的信賴。

■公司對顧客必須進行有計畫的售後服務以及科學性研究，並要有回饋社會之心：一家販售健康食品的公司，若經營者竟然沒有健康觀念或照顧消費者的態度，只知道賺錢，這種產品最好不要去買，因爲不是假貨就是偷工減料。有心的經營者一定會關心消費者使用產品後的感受，因此也必定會主動做好售後服務，甚至以科學方法來取得臨床證據。

這三年來很多所謂的生物科技公司登門希望與我合作，或請我代言。他們常表示只要我出面，就有一筆厚利，但是當我提出上面五個要求時，廠商十之

許醫師抗癌加油站

幾乎所有癌症病人都尋求過所謂抗癌食品、草藥或秘方。他們不斷拿各式各樣的產品請我鑑定，逼使我努力去研究抗癌產品。根據我自己的體證，以及親眼看到一些重症病人因爲採用了營養補助療法而改善病情，或甚至腫瘤消失，我相信營養複方補助法絕對是明日之星。

八九都會知難而退，原因無他，因爲他們絕大多數只關心賺錢多少，根本不在乎病人是否獲得健康。當我推薦產品時，除了這些產品要合乎我的五大要求，以及自己也服用外，更重要的是我要瞭解對方病情，並花時間與購買者溝通，強調不是服用這些產品癌症就可以得到控制，而是要努力做好身心靈之修練。就如李鳳山師父一再告誡我們的：「藥補不如食補，食補不如功補」。一個人如果只是天天吃一大堆補品，即使是有科學根據的，但是不運動、不練功、常常出現負面情緒，身心靈不同時修練，當然效果也不會好。下面幾種產品就是我願意推薦給病友的。

1. 夏俔博士的營養複方

兩年前我遇到了夏俔博士。他是南投人，到美國專研二十年營養治療，五年前在美國與一群專家醫師成立公司，在台灣爲新賀斯國際公司，依據現代營養醫學研發出三十幾種營養複方，並提出新觀念，認爲營養素不僅是做爲營養支持而已，更可以治療疾病，甚至可以部分取代正統西醫治療。

夏博士的每樣產品都是百分之百天然有機，製造過程嚴謹，不僅得到美國食品暨藥物管理局的認證，並獲得各國之專利，其中「佳賀晶」、「舒糖錠」、「舒更錠」、「極品大麥苗」四種產品在台灣也得到國家生技醫療策進會（生策會）九十、九十一、九十四年國家生技醫療品質獎。其中較有療效的如：

■ **硒酵母**：天然界硒化鈉是有毒物質，但經過酵母發酵之後就可以去毒。硒是稀有元素，其主要功能是提高抑癌基因P53之功能，讓免疫細胞能發現癌細胞而加以攻擊。

■ **菇類**：幾乎所有菇類都具有抗氧化抗癌之功效，療效較好的有冬蟲夏草、樟芝、雲芝、赤芝、巴西蘑菇等。

■ **Q10酵素**：這是細胞內粒腺體的重要酵素，主要功能是做爲營養素充分燃燒之媒介，提供細胞內氧氣含量，所以Q10又被稱爲可以吃的氧。提高Q10既可以抗氧化，又可以提供細胞元氣，阻礙厭氧的癌細胞，甚至誘發癌細胞之凋亡。

2. 神奇的γ-亞麻仁油酸（γ-linolenic acid）

ω-6系列亞麻仁油酸是人體無法自行合成的一種必需脂肪酸，是構成人體細胞膜的重要成分，自然界中可在大豆油、菜籽油、紫蘇油中找到這種少見的必需脂類，母奶中也有。有些奶粉廠商會在奶粉中添加一種類似的DHA，亞麻仁油酸與DHA同屬多元不飽和脂肪酸，DHA屬ω-3系列，在一般食物中易於攝取，而亞麻仁油酸是ω-6系列，很難從一般食物攝取。

罹患癌症後剛開始我立即吃方便素，不久就注意起要吃得均衡，之後更進一步講究生機、有機等。從學理上或眾多資訊以及個人三年多的親身經驗，我肯定長期素食不僅不會營養不良，更使身體更健康，但是由於四低一高的素食原則，可能會造成亞麻仁油酸攝取的不足。亞麻仁油酸具有以下之功能：

■ **活化細胞、提昇免疫力、促進微小血液循環**：細胞的老化是生病的主因，亞麻仁油酸可以健全細胞膜，促進細胞的新陳代謝，維持細胞的彈性。由於免疫細胞相當活耀，更替頻繁，亞麻仁油酸可以長期讓體內免疫系統維持高效率的活動，確保身體的安全。亞麻仁油酸能活化紅血球，使之具有高度的彈性，可以進入任何超微小之微血管，如此組織的新陳代謝運行得以順暢，各種發炎都可以避免或降低。

■**是抗癌良方**：相關臨床論文相當多，主要機轉是亞麻仁油酸不僅可以藉細胞膜正常化阻止癌細胞之突變，更可以終止癌細胞所引起之血管增生，因此有科學家認爲亞麻仁油酸可以使癌細胞轉化爲正常細胞。

■**有止痛功能**：亞麻仁油酸是細胞膜的主要成分，也是前列腺素E（PGE）系列之前身，亦即是屬於好的PGE1，不僅可以保護細胞免受到外來病毒或異物之入侵，更可以減少壞的前列腺素PGE2之發炎功能，因此可以達到止痛之功能，而無一般止痛藥之副作用。

■**有養顏美容之功效**：現在市面上都在流行膠原蛋白，事實上有些膠原蛋白來源是牛隻，有污染之虞，同時也是外來蛋白質，可能引起過敏反應。亞麻仁油酸來自高科技之眞菌單細胞培養而成，既無污染之虞又屬植物產品，它能活化人體細胞，包含皮膚組織，而好的皮膚細胞會隨身體之需要分泌膠原蛋白，因此達到養顏之功效。

■**可以預防心血管疾病**：藉由降低壞的膽固醇，亞麻仁油酸可以使血管免於硬化。三十年來科學早已證實此事。由於現代人食用動物油脂太多，很多人年紀輕輕就已有高血壓，還可能不到四十就發生中風，長期服用亞麻仁油酸正是可以達到預防高血壓與中風之效果。

■ **是眞正的補腦良方**：很多腦部病變的病人，如頭部外傷、中風等，到醫院都希望醫師能開所謂的補腦藥。事實上以我二十年神經科醫師之經驗，西藥裡根本沒有眞正的補腦藥，主要原因在於腦部組織不僅自成一個嚴密之系統，且腦細胞膜是由磷脂類所形成，要進入腦組織除必須是可溶於油外，一般外來物（包含各種藥物）很難進入。因此要達到治療效果，往往要將藥量增加數倍以上或使用更長時間，結果療效未達到，副作用已經出現，這也是爲什麼一些腦部病變如腦炎、中風治療不易，效果不彰之緣故。亞麻仁油酸既是一種磷脂類，又是細胞膜之重要成分，食用後不僅可以百分百吸收，且很容易進入腦部組織，有不少中風病人在服用亞麻仁油酸後症狀都有顯著的改善，最有名的例子是著名電腦音樂家林二在一次中風後半身不遂，需使用枴杖才能行動，經服用亞麻仁油酸不到三個月就可以自行走路。

市面上所看到的亞麻仁油酸一般都是由月見草油粹取，純度不足。一家日本興和公司歷經二十年之研究，以生物高科技之眞菌培養而得以量產，具奈米分子，內服外用都是百分百吸收，長期服用既不會增加身體之負擔，又無任何過敏或中毒之疑慮，無論健康或生病的人都可以服用。我服用不到二個月，即可覺到它的功效，這是我目前爲止所發現可以改善體質最好最快的健康食品，舉凡慢性病如糖尿病、高血壓、中風、腦退化、頭昏眼花、腰酸背痛、癌症、心臟病等，都會有明顯的幫助。

另外值得一提的是亞麻仁油酸護髮洗髮精。我服用微生物發酵的亞麻仁油酸後，加上使用含這種脂肪酸的護髮洗髮精洗髮之後，末梢循環獲得改善，黑

許醫師抗癌加油站

罹患癌症後剛開始我吃方便素，不久就注意起要吃得均衡，之後更進一步講究生機、有機等。從學理上及個人經驗，我肯定長期素食不僅不會營養不良，更使身體更健康，但是由於四低一高的素食原則，可能會造成亞麻仁油酸攝取的不足，因此可適量補充。

眼圈逐漸褪去，精神更旺盛，尤其是頭髮髮質變得更好。常為我理髮的師傅就感覺到我的髮質改善很多。

3.可貴而稀有的樟芝

生病之初，我就經梅門師兄姐之推薦，開始服用靈芝。靈芝是古今中外一致認可的百藥之王，我查看各方面之文獻都在闡述靈芝之優點，從來沒有看到一篇文章講靈芝的缺點。之後在很多場合我又聽到樟芝是頂級的靈芝，由於稀有難得，當然價格很貴。去年我因為好奇曾服用過一次，但因為來源不明、價格昂貴，因此不再服用。我曾參加一場有關樟芝的研討會，得知台北醫學大學蘇慶華教授所領導之團隊與國家衛生研究院正在共同研究樟芝，且已得到下列結論：

■目前已可透過特殊培養基配方，配合精選優良菌種及環控條件，大量栽培出具有珍貴三萜類及多醣體等重要成份的樟芝，當然價格已經滑落到原來之十分之一。

■栽培成功之樟芝經送美國、日本各大研究機構檢驗，已證實與天然樟芝之成分、組成、功效幾達百分之九十九．七之相同性。研發單位也向各國申請到專利。

■經國家衛生研究院之臨床研究已證實，樟芝的確有抑制腫瘤生長之功效，可做為一種無副作用之補助療法。雖然樟芝所含的某些成分至今科學家仍未完全清楚，但已可確定最重要的成分是三萜類，這也是樟芝苦味的來源。經實驗室研究，樟芝抗氧化與抑制腫瘤生長之功能竟是靈芝的十倍。

■市面上有些公司也在出售樟芝，但是經查證，來源不外乎利用菌絲體做成。菌絲體是樟芝之根部，療效非常有限；不然就是有人從山上偷摘下來販賣，當然品質無保證，購買這種產品令人擔心。

4. 醫療級巴西蜂膠

李虎博士從小移民巴西，是聖保羅大學醫院主持化療的專家醫師。他告訴我有些癌症患者在施打化療時併發症很少，經他調查原來他們都在服用蜂膠，於是他投入蜂膠研究。目前世界蜂膠的品質標準就是李虎博士所制定的。我曾與李博士在高雄見面，他特別向我詳細介紹一系列在巴西所做的蜂膠科學研究。

世界上著名的蜂膠產地主要有四國，分別爲巴西、紐西蘭、澳大利亞和中國大陸，其中以巴西蜂膠最有名。主要原因是巴西有全世界最大的原始森林，所採集的蜂膠是最自然的、最純的、類黃酮素最高的。蜂膠的等級依據類黃酮素的多寡區分如左頁表。

蜂膠是天然的抗生素，具有抗發炎功效，是一種古今中外廣泛使用的天然產品。事實上蜂膠還有很多功效，如抗氧化、抗自由基、抗癌等，尤其抗癌功效更是最近的熱門議題。李虎博士以醫療用老鼠做實驗，將最惡性的黑色素癌種入老鼠腹腔壁，讓腫瘤快速生長，然後分兩組，一組爲控制組，一組每天餵食蜂膠，結果發現控制組老鼠黑色素癌長得很快，而蜂膠組老鼠的腫瘤竟然都縮小而且纖維化，證實巴西醫療級蜂膠可以抑制癌症生長，或誘發癌細胞自動凋亡。

李博士建議醫療級蜂膠用量是：一般保養每天十滴加入果汁飲用，病人要

蜂膠等級	類黃酮素含量
一般級	5mg/ml
良級	5-10mg/ml
優級	11-20mg/ml
特優級	21-30mg/ml
醫療級（類黃酮素最高且種類最多）	>30mg/ml

加倍，癌症病人則須每天六十滴，另外可加入噴霧器做爲噴灑咽喉之用。由於我每天輔導癌症病人，說很多話，有一次連續在苗栗地區做大型演講，咽喉又乾又養又痛，演講後我噴一噴李博士的蜂膠，不到三十分鐘症狀完全消失。個人的經驗完全驗證醫療級蜂膠的神奇功效。

上述每種產品都有其優缺點，有的濃度高，有的是液體容易飲用，有的較便宜，有的能排宿便、清腸，有的抗氧化功能較強，我會依照病人病情、症狀給予一些建議，當然還要考慮病人的財力。

儘管每一次我都詳細介紹所有產品，但最後每一個人選擇都略有不同。我也總是一再對病人強調，想要恢復健康，不能只依靠這些產品，而是要終身做好身心靈之修練。

5. 我吃些什麼補品？

我對吃一向不講究，更不喜歡補品，認爲只要吃得飽就可以了，過去身體健康時也根本沒想到要去吃補品，有時家裡燉些藥膳或冬天進補，我也敬而遠之。生病後我開始吃素，讀了一些有關飲食的書，開始注意到「生機」、「有機」、「排毒餐」、「精力湯」等，也開始起研究營養學。雖然在醫學院讀了七年書，卻沒眞正讀到營養學，看診時，若病人問醫師什麼不可吃？絕大部分醫師都會回答：「什麼都可以吃」。如果病人問吃什麼比較好？醫師一定說：「營養均衡就好」。

罹癌之後，我讀了幾十本書，深深瞭解癌症主要是環境污染所導致，是細胞長期浸潤在有毒環境之後發生癌變所產生的。治癌最重要的是要改善污染的環境、淨化身體及提昇心靈，決不只是接受化療、放療、開刀而已。如何淨化，首先從飲食做起，先遵守四低一高原則，必要時食用一些補品，以下就是我三年半來服用的補品。

■ **花粉**：花粉是營養價值極高之高蛋白補品。其維他命、胡蘿蔔素與酵素含量都相當高。現已知人體必須的二十種胺基酸，花粉都有。花粉雖是很普遍的食品，但好壞相差很多，選購時應特別留意，至於如何分辨好壞，從外觀很難分辨，老實說，唯有實地參訪與蜂農面對面詳談才能判斷。

■**巴西蘑菇**：巴西有一個村莊的居民都很長壽，經專家研究發現，原來當地居民天天都食用一種蘑菇，後來經實驗室研究，這種蘑菇有提昇免疫力之功能，巴西蘑菇因此名噪一時。現在巴西蘑菇已經可以栽培了，因此價格並不貴，但是來源很重要，巴西蘑菇種類不下百種，又是唯一生長中需要覆土之菇類，台灣地區很多不肖商人以大陸劣質蘑菇權充巴西蘑菇來欺騙大眾。如何辨

許醫師抗癌加油站

蜂膠是天然的抗生素，具有抗發炎功效，還能抗癌等。由於我每天輔導癌症病人，說很多話，有一次連續在苗栗地區做大型演講，咽喉又乾又養又痛，演講後我噴一噴李博士的蜂膠，不到三十分鐘症狀完全消失。個人的經驗完全驗證醫療級蜂膠的神奇功效。

別是很難的，最好產品要有認證，我食用之巴西蘑菇是三十倍濃縮的產品。

■**精力粉**：當我開始吃素後，由於消化快，容易餓，甚至有幾次餓到全身發抖，無法工作，過去都是再吃一餐，現在則用精力粉代替。精力粉幾乎每家有機店都有，我食用的是採用自美國有機農場進口之原料配合而成，其中至少含有三十種以上之有機高營養五穀雜糧，以及綠茶、螺旋藻、明日草、杏仁等。

■**調整餐**：這也是自美國有機農場進口之原料配合而成，只是含較多量之纖維素，食用目的在幫助消化和排便。當我覺得大便不順時，我絕不會去服用瀉藥，而是馬上來一包調整餐。由於調整餐讓人有飽足感，因此可做爲塑身之用。每天飯前一小時來包調整餐，就會讓你不覺得飢餓，達到減肥的效果。

■**燕麥植物奶**：這是種取代牛奶的產品。無論從營養或無毒觀點來看，牛奶的高營養（高蛋白、高脂、高鈣、高熱量）只適合小嬰兒或小動物，成年人因爲無法消化如此高之營養素，尤其是動物脂肪與蛋白，結果過剩之油脂與蛋白將轉變成酸性毒素而傷害身體。如果天天飲用牛奶，不僅得不到該有的營養，而且讓骨頭中之鈣質大量釋出，以中和酸性體質，因此喝牛奶反而增加骨質疏鬆之機會。再加上飼養乳牛時都會給予抗生素、生長激素和荷爾蒙，長期食用牛奶對身體不好，以燕麥植物奶取代牛奶是最佳選擇。

■ **螺旋藻**：螺旋藻除了含有豐富之維生素B群、酵素、胡蘿蔔素等，還含有最重要的維他命B_{12}與亞麻仁油酸。B_{12}是體內合成血紅素重要的外因子，素食者常缺乏B_{12}而導致貧血。而亞麻仁油酸是人體必需脂肪酸，更是素食者常常缺乏之重要營養素，需要天天補充。

■ **有機古法釀造之醬油、醋、豆瓣醬等**：等到我對優質食物的認識愈來愈多之後，連調味品我都開始精挑細選了。兩年前有機會到南投參觀有機食品的釀造，看到經營者的用心令人感動。釀造一瓶醋竟要花上兩年：有機米加酵母浸泡三個月、發酵三個月、酒化三個月、醋化三個月，再存放一年，才對外銷售。市面上的合成醋三天內就可出廠銷售，怎能相提並論！現在吃素食眞是享受，尤其飯前來一小杯醋或酵素，不僅可增加食慾，又能幫助消化、吸收營養，誰說吃素無味無營養呢。

■ **有機高山茶**：去年我曾到奧萬大一千五百公尺高的有機茶園參觀，天色向晚後，茶園遍地螢火蟲美麗極了，正是因爲他們不使用農藥，螢火蟲才能大量繁殖。政府對種茶使用農藥的管制極鬆，遠不如對稻米的把關，所以許多茶葉都可能受到嚴重污染。如果你是常常喝茶的人，建議你改喝有機茶。

另外，我家已經完全不用化學清潔劑，改用無患子產品了。這是阿媽年代的清潔劑，但是自從化學清潔劑出現後就很少人使用。想想看我們每天洗髮、洗澡、清潔、洗衣、洗碗要用多少化學劑？不僅污染環境，也讓自己天天接觸到致癌物。不過市面上出售的無患子假貨很多，我所採購的是王群光醫師監製、虎尾科技大學創新研發公司的產品。

四、天仙液

很多癌症病人受不了化療、放療，從醫院逃了出來，卻又不知下一步何去何從，徬徨無助時很容易輕信別人，不管什麼祖傳秘方或來路不明的草藥，照單全收。我曾經追蹤過不少這些病人，發現他們都失敗了。中草藥我不瞭解，但是聽說市售中草藥百分之八十來自大陸，不可不小心。

我與王政國醫師（左）合照。

唯一我研究過、服用過、也敢推薦給病友的中草藥就是天仙液。

天仙液是大陸醫師王政國歷經一、二十年持續不輟的研發、以純正生藥製成的，所含的成分包含人蔘、珍珠、黃耆、白朮、冬蟲夏草、靈芝等三十種。所有生藥都是自然物質，大部分採自長白山的植物，在不大幅改變其性質的情況下，萃取有效成分，進行最小限度的加工而製成藥品。像這樣綜合少量而多樣的生藥，不會像西藥那樣能夠對特定症狀產生猛烈的效用，而是溫和地對人體產生作用，緩慢的發揮效果。

長白山是天然的火山岩，土壤裡含有豐富的硒與有機鍺等二十幾種稀有元素。王醫師從一千二百多種生藥與處方中，經過嚴格挑選與過濾後，剩下符合所需之六十種生藥。接著透過動物（老鼠）實驗，再篩選出三十種高抗癌作用的生藥，並加強腸胃、利尿、滋養強壯、提高免疫力等作用，每一項生藥的作用無不清楚分明。

歷經十八年的實驗，終於研究出對胃癌、腸癌、血液類癌症特別有效的成品。這項研究得到中國政府的支持，大規模施行臨床試驗，最初的製品「天仙丸」一九八五年被中國國家衛生部、國家科學委員會列爲國家重點科學技術研究項目，並決定以國家等級之抗癌新藥開始產製，一九八八年，首次以具有抗癌效果的中藥獲得認可。

隨後，王醫師的團隊以天仙丸爲基礎，進一步開發不同系統、不同種類與劑型之天仙系列產品，其中最重要的研究課題是天仙丸的液體化研究。一九九一年終於完成中國首創的液體化抗癌中藥，並大幅提高了原有成效。

二〇〇〇年一月，天仙液通過美國食品暨藥物管理局膳食補充液之生產鑑定標準，每年定時接受檢驗查核，過去五年來在生產過程與品質管理的最高標準監督下，確保天仙液長期、穩定的最佳品質。二〇〇一年獲澳洲藥物食品管理局檢驗核准，列爲可治療性藥品管理。同年六月正式以食品方式由美國正式進口到台灣。天仙系列產品先後獲得第二屆北京國際產品博覽會金獎，接著在比利時的第三十八屆世界發明博覽會上，王振國醫師首度代表中國人獲得世界個人研究最高發明獎。

臺大孫安迪教授最近五年對天仙液進行了一連串免疫學研究，證實它的確具有誘發癌細胞凋亡、抗自由基、抗衰老等功能。美國毒物專家霍斯德（**Bruce W. Halstead**）亦對天仙液作了很詳細之研究，還寫了一本抗癌中草藥教科書《中國整合抗癌療法的科學研究》（*The Scientific Basis of Chinese Integrative Cancer Therapy*），成爲美國各大醫學院圖書館的收藏書。

目前天仙系列產品已行銷世界三十幾國，台灣也有數百人在服用，不過假貨很多，訂購時務必小心。我自己每天早晚各喝一瓶。雖然不能說天仙液是萬

許醫師抗癌加油站

雖然不能說天仙液是萬靈丹，可以治好癌症，但是卻可以增強免疫力，減輕治療痛苦，加速癌細胞凋亡，延長生命。過去半年來至少有五十位癌症病人在自然醫學診療中心使用天仙液療法，初步成效良好，但必須長期追蹤，才能確認療效。

靈丹，可以治好癌症，但是卻可以增強免疫力，減輕治療的痛苦，加速癌細胞凋亡，延長生命。過去半年來至少有五十位癌症病人在我的自然醫學診療中心使用天仙液療法，初步成效良好，但必須長期追蹤，才能確認療效。

王政國醫師曾明確指出：「單一攝取任何一種生藥，顯然無法治癒癌症，必須合併使用西方醫學或其他替代療法及補助療法，才能夠發揮效用。天仙液雖說確實具有一定程度的抗癌效果，然而運用西方醫學的科技，結合複方中藥天仙液，可以呈現出另一個生命的機會。」

五、細胞食物

兩年前我就曾聽到所謂細胞食物，但沒有機會進一步瞭解，直到半年前在癌症座談會上遇到一位乳癌患者林小姐，她向我推薦ＡＴＰ細胞食物，並給我一大堆資料。當時我第一個感覺就是，「又是一家抗癌產品公司！」

林小姐安排我與生產ＡＴＰ細胞食物的澳洲公司產品總監胡保華博士及資

深經銷商張總經理在台中見面。經胡博士的詳細講解之後，我初步可以接受這套產品，但眞正讓我有信心的卻是林小姐的見證。

四年半前，林小姐癌症多處轉移，由於已經是末期，醫師不再做任何治療，並預測她活不過幾個月，但是林小姐天天服用這套產品，健健康康的活了下來。我曾經以生物能共振儀來偵測，確定它是有極佳之療效。

這家公司是一個跨國公司，由美國、澳洲、德國等一群科學家與醫師所組成的研發團隊，到全世界去尋找最優質的天然植物或礦物質，以高科技奈米化技術將之萃取與濃縮成液態或粉末，產品命名爲 **ATP Zeta**。

人體每個細胞約含有一千兩百個粒腺體，粒腺體會產生極大的能量來供應複雜的生化反應，而 **ATP Zeta**（三磷酸腺苷）就是細胞內能量的主要分子。人類老化就是粒腺體受到自由基之破壞而突變，突變愈多，粒腺體受損愈嚴重，結果不是癌變就是自動凋亡。

老化是無法避免的，甚至每個人的壽命在出生時就已經決定，掌握決定權的是細胞核裡的染色體。染色體的末端含有端粒酵素，在細胞分裂時，會隨時間變短。每一種細胞生命周期都是固定的，如紅血球可以活一百二十天，白血球二十天，血小板三至五天等。值得注意的是，百分之九十五的癌細胞因爲染色體突變而活化端粒酵素，當細胞分裂時並不會自動縮短，並且能發揮人類幹細胞的原始功能，既可以發展成各種細胞，更可以在各種環境下生存，因此我可以大膽的說：癌細胞就是幹細胞。癌細胞的不死以及到處轉移，其實就是幹細胞的本能被激發而已。

這個 **ATP Zeta** 計畫就是利用天然界的原始能量來使細胞內粒腺體混亂的活動恢復正常。這些活動就是細胞內各種電子之移動，也就是Zeta電位，一種存在於原子、分子、粒子、懸浮物、細胞與其他存在於液態介質中之物體間的電位。Zeta電位愈高，物質穩定性愈高，這種研究稱之爲離子電透入法，也稱爲醫學電離。

這個計畫由七個部分（產品）來完成，每一個部分都很獨特，所產生的協同效能非常之大。這七種完全奈米化的液體或粉末，服用後不僅可以完全被吸收，而且免除一般營養素所必須經過的分解、消化、排毒、吸收等一連串繁雜的新陳代謝工程，由細胞直接享用，所以名爲細胞食物。包括：

■**百草精華ATP一號**：第一種成分是澳洲灌木水果和花的獨特組合，有抗癌效果。第二種成分是栽培的有機小麥草芽，含有九十八種大地元素（主要指稀有元素等）等綠色植物之精華，具有極強之抗氧化效能。第三種成分是澳洲蜜蜂花粉，含有人體所需要的完整胺基酸、酵素、維生素與礦物質。

■**氧之泉**ATP二**號**：含有三種成分：膠體金、鉑、鍺。ATP二號能吸收體內的水分，將之分解成氫和氧，並將兩者釋入體內細胞，因此能將細胞內氧氣提高至少一倍以上，在高氧之下促成營養素之完全燃燒，因而產生巨大之能量。

除了上述三種重要物質外，氧之泉還含有幾十種胺基酸、酵素與礦物質等。

■**鎂鈣方程式**ATP三**號**：幾乎每一樣健康系列產品都會涵蓋重要之鎂鈣礦物質，因爲這是細胞溝通的重要媒介。本產品是取自海中之鎂與植物鈣相結合，成爲離子，高度充電。這種搭配吸收最好，不僅可以改善酸性體質、幫助入眠、保護骨質，又可促進循環、穩定細胞膜功能、防止肌肉抽筋等。

■**健心寶**ATP**四號**：含有高單位之人體必須脂肪酸，包含ω-3、6、9等，有助於健全細胞膜功能、降低膽固醇、促進氣血循環、穩定神經傳導等重要生理功能。

■**益寶素ATP五號**：這是一種取自啤酒酵母的多醣體，主要功能是提升巨噬細胞的免疫能力。

■**虹彩顏露AGP一號**：這是富含離子鐵（百分之四十）、離子水、和四十六種植物微量元素所組成的。鐵是血紅素重要成分，缺鐵性貧血是很多婦女常有的毛病。癌症病人在化療期間，貧血更是一個重大而必須立即解決的生理缺失。醫院所提供的鐵劑是屬於粗糙而無機的藥品，服用後大便常常呈現黑色，這是因為人體無法吸收而排出氧化鐵。

■**青春方程式**：二〇〇〇年七月，美國衛生部公佈直接使用荷爾蒙，在兩年內皆有將近百分之三十的致癌性。天然、無毒的青春方程式是專為更年期婦女所設計的，為荷爾蒙之前驅物，服用後會根據身體之需要轉變成荷爾蒙，含有大量的氨基乙酸、穀胺酸、維他命B_6、綠茶葉、鎂鈣、果寡糖等，其功效可幫助人體荷爾蒙之最高指揮中心——腦下垂體正常分泌，並因而協助身體釋放出荷爾蒙。由於不是荷爾蒙，因此不需擔心副作用。

六、電解水

電解水是日本人的發明，在日本醫院、工廠、牧場、家庭早已在使用，主要功能是可以中和體內的自由基，預防腸道異常發酵。自從發明家徐文星先生以「氧化還原電位定位系統」得到德國紐倫堡發明獎之後，台灣電解水技術就超越日本，而在世界上居於領先之地位。

從我站出來現身說法之後，幾乎每天都接觸到癌症病人，有的到處求醫追

許醫師抗癌加油站

染色體末端含有端粒酵素，在細胞分裂時會隨時間變短。百分之九十五的癌細胞因爲染色體突變而活化端粒酵素，當細胞分裂時不會自動縮短，且能發揮人類幹細胞的原始功能，既可以發展成各種細胞，更可以在各種環境下生存，因此我可以大膽的說：癌細胞就是幹細胞。

求秘方、有的住到深山裡吃生機飲食、有的不斷化療與開刀、也有的採用激烈的斷食與清腸，其中有幸與不幸，能抗癌成功的都是具有堅強的心念、無懼的心態與無比的毅力，然而與他們相比，我還做對了一樣選擇——多喝優質電解水！

幾年前我就知道有所謂的電解水，但因爲身體健康根本不在意，等到我生病後才開始關心起電解水。市面上有多家電解水公司，大部分是代理進口產品，我曾經一家家打電話或親自到公司去瞭解，很驚訝竟然沒有一家公司對電解水有充分瞭解，他們只會推銷產品，對電解水的功能、療效只能說是一知半解，直到遇到定位系統發明家徐文星老師之後，經他詳細解說，我才完全瞭解電解水。之後我家立刻裝上一部。

電解水原理非常簡單，它是把自來水（非地下水）經完全過濾達到生飲的條件後，通過一部電解水機之電解板，使水分子重新排列，水中一些分子如碳酸鈣會被分解成碳酸根離子與鈣離子。碳酸根離子是人體不需要的帶負電分子，從陽極排出來成爲酸性水。酸性水具有抑制細菌活性之功能，可用在清洗地板或廁所。

鈣離子帶正電，與大量負電子一起從陰極排出成爲鹼性水，這是人體最佳的飲用水，因爲所有人體所需的鈣、鈉、鎂、鉀等被離子化，而且水分子團變小、溶解度大增，滲透性也被強化。飲用後可以中和腸胃道裡的自由基或酸性毒素，改善酸性體質，最明顯的好處是讓排便順暢、大便不再惡臭，而且消化良好、食慾大增、精神與體力獲得增進、晚上也得以安眠。我生病三年來天天飲用最鹼性（酸鹼值等於十）之電解水。

市面上電解水機器種類繁多，尤其是進口機種，因爲電解板太小，一般只有兩百平方公分，加上台灣自來水屬硬水，含較多的雜質或金屬，使用不到半年便會因爲電解板卡滿雜質或鈣而失去電解功能。徐老師的專利「定位恆定輸出」就是以專業電腦技術控制所有參數，如電壓、電流、電阻與水流量、水壓，電位差等，讓被電解的水合乎電腦所設定之酸鹼值與電位差才能流出。即使水質因爲颱風豪雨而變差，也可以保證電解出來的水永遠是優質的電解水。

徐老師所領導之研發團隊還特別針對台灣硬水的特性而設計出世界上電解面積最大（約爲日本產品之四倍），且還原能力最強之生成器，同時因爲使用太空梭所用的合金材料，可保證十年壽命，也因爲效能優異，目前還回銷到日本。

根據呂鋒洲教授（中山醫學大學應化系講座教授，前台大醫學院生化研究所教授兼所長）的臨床實證，只有氧化還原電位差超過負兩百五十MV以上，才有中和自由基之功能，一般電解水機或市面上所謂鈣離子水，雖然呈現鹼性或小分子團，但是無法達到負兩百五十以上之電位差，因而沒有療效。

九十四年十二月，徐老師與我經過兩年之合作，終於研發出世界上電解面積最高的旗艦級電解水機AQ-1400，其電解面積高達一千四百平方公分，不僅可以製造最優質之電解水，而且可以製造超酸性水，出水量也大到足以供百人同時使用。超酸性水酸鹼值在三以下，可瞬間殺菌，對人體無害。可用在口臭、牙周病、香港腳或痔瘡之浸泡。醫療上可以浸泡糖尿病傷口，預防細菌感染，避免因敗血症而截肢。

儘管電解水問世已經超過三十年，其功效早被肯定，但是很多人對電解水仍然充滿誤解，甚至一些養生專家或教授學者依然對它質疑，主要有下面四點疑慮：

■ **電解水不是自然的水**：養生專家認為純淨的山泉水才是眞正的好水，經過電解之後水中能量已被改變，猶如食物經微波加熱之後能量被破壞一樣。這點似乎有道理。山泉水如無污染當然是好水，但有多少人可以天天喝到純淨的山泉水呢？何況山泉水受到酸雨、地下水污染之機會很大，以目前大家的生活方式，倡導喝山泉水既不實際也不實用。

■**電解水如果電解到重金屬則會對人體有害**：當然水中含重金屬對任何生物都有害，如加以電解之後危害更大，還好目前的自來水廠早已用沉澱法去除水中絕大部分之重金屬。當自來水透過水管送到家裡時，也可能受到不良管線或骯髒之水塔污染而不潔，因此電解水機必須有兩道過濾系統，將這些雜質或重金屬在電解之前清除乾淨。優質電解水機都必須具備有這些過濾系統。

■**電解水太鹼，喝多、喝久有害身體**：這是不瞭解電解水原理的人會有的疑慮。電解水的原料是水，產品也是水，電解中間根本沒有添加任何外來物，會產生酸鹼度之差完全是電子移動之關係，電解水置放一段時間後，電子會不斷釋出而減低酸鹼度，大約四十八小時後就成中性，此現象告訴我們電解水要生喝，如果煮沸後電子會跑掉，抗氧化功能會降低，因此馬上喝效果最好，這也表示電解水是安全的。

■**電解水是鈣離子水**，喝多了會導致腎結石：雖然電解之後水中鈣變成離子而較具活性，但是鈣要被吸收須具備很多條件，尤其是身體對鈣離子的管制有一套相當嚴謹的系統在支配。根據現代營養學觀念，要形成腎結石是鈣不足所造成的，因爲鈣不足，骨頭裡的鈣會大量釋出，而經腎臟排出時，酸性體質（如草酸過多）者就會形成腎結石。大量喝電解水不僅不會傷及腎臟，反而因爲大量喝水可促成結石之排出。

另外，有些電解水機做到酸鹼值十以上，這也是矯枉過正。當酸鹼值超過十時，水會有一股臭味很難下嚥，廠商常說這是酸性體質所造成的，鼓勵大家喝更多這種臭水。事實上根據日本電解水學會專家及呂鋒洲教授之研究，這種電解水對人體是有害的，它會造成腸胃道細菌壞死而使人生病。一般人可以長期飲用酸鹼值在九至十之間的電解水，酸性體質之病人如糖尿病或重症病人則須從酸鹼值八的水喝起。

瞭解以上電解水之簡單原理與疑慮後，相信大家可以放心飲用優質的電解水了。

七、生物能療法

所有物質，無論是一個石頭、一顆藥、某個營養素，甚至一個癌細胞都有其特有的能量，能產生共振的就可以相吸，否則會互斥。我們常說物以類聚，就是彼此產生共振互相吸引之故。

一九四〇年德國醫師莫瑞（Franz Morell）到中國大陸學中醫，回國後組成一個包含德國與其他各國知名科學家的團隊，進行中西醫合併的研發。研究發

許醫師抗癌加油站

從我站出來現身說法之後，幾乎每天都接觸到癌症病人，有的到處求醫追求秘方、有的深山裡吃生機飲食，有的採用激烈的斷食與清腸，能抗癌成功的都是具有堅強的心念、無懼的心態與無比的毅力，然而與他們相比，我還做對了一樣選擇——多喝優質電解水！

現，每一個生物個體皆具有獨特的微電子震動光譜，而這種訊息可藉由電子傳輸來偵測。用同樣的原理，加上中醫經絡與陰陽五行相生相剋之理論，配合最先進的醫學物理科技，可進行體質與能量的調整。

我們都知道動物體內的化學變化過程都是藉由電子波動之變化傳達訊息而成。甚至，我們體內各種器官與不同性質的細胞之間，都帶有各自的微電子震動光譜，沒有任何一個是相同的。而這些電子的震波，可以藉由生物能共振儀來偵測，就好像我們以心電圖監測儀來測量心臟律動，或是以腦波來記錄腦細胞活動一樣。

任何一種內在或外在的損害，皆有可能會干擾體內環境的陰陽平衡，如此將會影響體內生物物理學、生化學上的功能，進而導致疾病的產生。舉例來說，有害物質進入人體後，不只會影響體內的化學環境，也會影響自體調理的能力，導致體內產生功能性的混亂情形，這些機能上的障礙，若在我們無法適時的補償回饋下，很容易形成生理方面的疾病。

而針對這個問題，莫瑞醫師發現了一種全新的方式，利用反轉原理，精確消除這些電子震動的干擾，如此便可以減輕身體的負擔，行使自癒的功能，進而使體內的陰陽五行達到平衡。

生物能共振療法不是一種電子治療，也不是輻射波治療。最重要的是，這不是一般傳統醫療方式，但結果卻令人信服。應用最新生物物理學原理的生物能量共振儀已經在科學上完全被證實以及採用。許多病人在第一次的共振調理後便覺得好轉許多，這是因爲生物能共振會幫你排除有害物質。若毒素已造成慢性疾病，相對便需要較久的時間。

這些排除方式在最初與同類療法（亦稱順勢療法）類似，可能會稍有不適，這是正常且無害的排毒反應。爲了減少這種不適感，可以在能量調整前後飲用大量優質電解水，同時爲了促進皮膚表層與消化道的排毒，調理期間最好能夠定期使用浴刷，去除皮膚表面的角質，並且儘量每天排便，避免便秘發生。

某些急性的能量不平衡情形，也可以利用額外分泌物或排泄物（病理製劑），反轉能量使過低或過強之能量達到平衡，如失眠有時是因爲酸性體質造成的，利用病人酸化之血液或尿液，做成同類製劑，以反轉方式將能量輸給病人，強迫體內過多酸性物質利用排便或解尿排出體外。在極嚴重或是慢性的失衡方面，則通常建議接受較多次數的調理以達到功效。

原則上幾乎所有能量的補充皆可藉由共振儀所傳輸的反轉訊息做調整，研究顯示此種方法尤其適用於過敏症狀、環境污染中毒、心血管循環機能障礙、急性與慢性疼痛、發炎、新陳代謝異常等。

生物共振儀是最早、最具代表性以電子生物能原理來排除人體負面訊息的一種方式，使人體可以在最無負擔的情形下自癒，並且無任何副作用。這種輕鬆又無負擔的方法，尤其適用於兒童。生物共振儀的療效可以以下列五種功能來說明：

■ **人體四十個經絡點之檢測與治療**：從經絡點的檢測以及利用中醫五行相吸相剋原理，找出病人之病因，並加以能量調節與經絡補強。這等於是請一位經驗豐富的中醫師來把脈，與一位氣功大師來調氣一樣。這對癌症病人幫助很大，因爲癌症病人氣場都非常弱，經過一陣子共振治療，病人的氣場一般都有明顯之提升。

■ **各種污染、過敏原之檢測與排毒**：儀器中存有各種過敏原、重金屬、疾病能量等，當病人被發現有這些能量異常時，即可用反轉原理將這些有毒物質排除。

■**癌症細胞之反轉**：儀器中已具備有各種疾病、異常DNA及癌細胞之異常能量，當發現病人有這些異常能量時，可以用反轉能量加以治療，必要時可以將反轉能量擴大一千倍傳輸給病人，以提高療效。

■**生物能化療**：化療藥物都是劇毒，雖然可以殺死癌細胞，可是很多癌症病人受不了其副作用而敗下陣來，甚至因而喪命。現在可以將化療藥物放入共振儀，讓儀器偵測到藥物之能量加以擴大後，傳輸給病人，讓病人獲得化療之療效而沒有副作用。我曾經發現幾位癌症末期病人在接受生物能治療後，發生癌組織壞死，從身上之引流管排出。

■**花精或同類療法**：幾乎所有癌症病人都生活在恐懼、緊張之中，若加上醫院之治療所引發之副作用，常使病人身心受創、情緒低落，可以用花精及同類藥劑來振奮其情緒，協助安眠。

從九十四年年底，有十餘位癌症末期患者前來我的自然醫學診療中心接受過生物能共振療法。對嚴重的癌症病人，首先是利用反轉共振來排毒，接著利用儀器內建的程式來補氣，之後施以共振化療，將化療藥物能量放大二百到五百倍，再以正波輸給病人。

根據近半年的臨床經驗，共振儀治療的確可以穩定病人病情而無任何副作用，還有有幾位病人獲得令人驚訝之效果。但是長遠之療效如何，則必須做長時間之監測，才能進一步確定。

八、氣功療法

人體由六十兆細胞所組成，每一個細胞除了需要營養素補充外，更需要加以運動與訓練；猶如軍隊除了要有精良的武器，更要有嚴格的訓練，如此才能成爲一支驍勇善戰的常勝軍。氣功不僅有科學根據，而且有靜功、有動功，有外功、有內功，適合每一個人學練。不過，要學氣功首先要愼選一位明白的師父，才能眞正幫你氣血循環、呼吸通暢、心曠神怡，達到天人合一的境界。

有幸成為梅門弟子

病倒後，所幸我很快接受了李鳳山師父的開示以及梅門師兄師姐的教導，讓我很快跳出癌症陰霾，也開啓我輕鬆抗癌之路。

第一天到台中道場報名時遇到美芳師姐，那時我已治療一半正準備接受開刀，心情上已經可以面對癌症，但美芳師姐一開始就建議我不要開刀，我一聽直說：「別開玩笑，不開刀可以嗎？」那時是三月初。

起初的化療與放療過程中，我都沒有感受到什麼痛苦，本以為治療如此輕

許醫師抗癌加油站

使用生物能量共振儀排除有害物質時，最初可能會稍有不適，這是正常且無害的排毒反應。為了減少這種不適感，可以在能量調整前後飲用大量優質電解水，同時為了促進皮膚表層與消化道的排毒，調理期間最好能夠定期使用浴刷，去除皮膚表面的角質，並且儘量每天排便。

鬆，哪知出院不到一星期，也就是加入梅門不到一星期，終於嘗到苦頭，所幸這時氣功發揮極大的功用。

痛苦一來我就開始練平甩功，就這樣病情一天天好轉，到三月中就逐漸脫離痛苦，氣色也逐漸恢復，親朋好友都很驚訝於我的改變。在師兄姐的教導與李鳳山師父的開示下，三年半來我每天至少練功兩小時，如今太極拳已是第二輪班畢業。

梅門氣功是由淺而深，循序而進，並視個人狀況做個別指導。任何人皆能輕易入門，只要心念能到，持之有恆，很快就可感受梅門氣功之好處。我個人最初體會到的是靜、鬆、定、放、氣、神、魄。

■**靜**：在我最痛苦的時候、最恐懼的時候，當醫院醫師束手無策之時，我別無選擇地練起平甩功來，很奇怪的，當我專心練功後，心情馬上穩定下來，原本心亂如麻與肛門疼痛都因為心靜下來而開始好轉。心靜眞是練功第一個要件。每次上課時我們都會靜坐二十分鐘，聆聽師父的開示，受益良多。李鳳山師父告訴我們：「人生在世，遇到瓶頸時就當做休息」；又說「放得愈多得到愈多」、「要跟自己協調，然後跟環境協調」、「要定中生慧」、「空中生妙」、

「無欲則剛」。當然人在恐懼之中不可能馬上心靜下來，但是每天練功以及每週到道場與師兄姐一起練功，自然而然就會學會心靜，現在每次有任何負面情緒出現，我馬上練平甩功來穩定自己。

■**鬆**：現代這種忙碌緊張的生活，讓我們的肌肉經常都是緊繃的。有誰教過我們放鬆嗎？練功前的靜坐，就能使我們放下緊張，學習鬆弛身體。我練功後的第一個月，某天練完功睡覺前，躺在床上忽然有種感覺，不知四肢在哪裡，這是我首度體會到鬆的意義。又有一次在公園練功時，當晚風吹來，我竟然感覺到上肢在風中飄揚，一點重量都沒有，這時才眞正體會到所謂輕鬆的感受。現在每次練功之後，我都會有身輕如燕之感。想想當病人緊張、失眠時，醫師都開立所謂鬆弛劑，其實鬆弛劑只是阻斷鈣離子進入肌肉，讓肌肉無法正常收放而已，那是讓我們無力，而不是鬆弛。

■**定**：當身體輕鬆後，接著要學習心定下來。俗話說得好：「一心一用」，同一個時間專心做一件事或專心思考，自然思路明白、腦筋清楚。心定之下，無論是做事、做決定、思考、休息、睡眠都會在最佳狀態。

■**放**：在身鬆、心定之後，自然就懂得放。李鳳山師父常說：「只有放得下，才能得到更多」。放眼衆生，莫不拚命求名求利，甚至爲達目的不擇手段。然而身外物生不帶來死不帶去，何不能放就放，當會發現「敞開心胸，更多接納」是何等容易。

■**氣**：李鳳山師父說，所謂氣功就是「在氣上下工夫」，在練功不到兩個月時，我就深深體會到師父所言「氣機」所在。在基本養生功法中，以平甩功最具氣機，有時手指間會有觸電之感。最初以爲是甩久之後造成的痲木，但是一般因姿勢不良所造成的痲木會使人感覺不好或肢體無力，氣機出現卻使人清爽、輕鬆、末梢紅潤等。

■**神**：過去常被家人同事提醒走路要抬頭挺胸，不要駝背，出去踏青時常被家人說精神不振，的確，過去工作壓力大，飲食不正常，即使常打網球運動，卻換來一身病痛。進入梅門練功不到三個月，很多人都說我變了很多，不僅氣色好、皮膚有光澤，昔日黑眼圈也減弱不少，更重要的是每天睡眠十足，精神飽滿，如同李鳳山師父所說的，練到「脫胎換骨」了！

■**魄**：有一次與李鳳山師父聚餐時，李師父問大家練功要練出什麼來？有人說要練出氣來，或練出功夫來、練出修養來。李師父卻跟我們說要練出「魄」

來。魄就是氣魄，是氣的最高表現。魄代表著一種發自內心深處的一股強大力量，是自然湧現，絕不強求更不做作。當魄出現時，不僅讓人信心十足，更達到無所懼怕的地步。魄也代表著一種頓悟、一種智慧。聽到李鳳山師父的開示，我立即有所感觸。當初在我最痛苦、最無助的時候就是因為專心練功，使我心安靜下來，之後氣感出現，然後心中湧出一股力量來，使我信心大增，做出不開刀的決定，而且在持續練功中，內心這股力量逐漸增強，李鳳山師父所言氣魄之感逐漸湧現。

就三年來的練功經驗，我認為梅門氣功在某些方面是非常合乎現代醫學，像是氣功式呼吸。李鳳山師父說：生命就在一呼一吸之間。氣功每一種動作都需要呼吸之配合，而氣功呼吸講究的是腹式呼吸，也就是丹田呼吸。一般人的呼吸只有胸部呼吸，腹腔只是被動式的擴大（因為橫膈膜下降之故）。氣功吸氣時，要求手掌向上，兩肩同時由後向前一起前轉，如駐氣等功法。這種氣功式深呼吸是真正使肺部做最大之擴充，比起胸式呼吸大多了。

李鳳山師父告訴我們，練功之後呼吸將變成細、慢、長、勻。這是非常重要的改變。想想當我們負面情緒上來時，呼吸是什麼樣子？是不是粗、快、短、急？結果不是上氣不接下氣，就是哀聲嘆氣，無精打彩。因為呼吸的改變，不僅少有負面情緒，更不會與人爭吵，脾氣與個性都會變得好多了。

還有，練功或靜坐時，是頭腦單純化、呼吸最大化。有些人常會頭昏眼花、失眠、記性不好、心浮氣躁，這不一定是身體有病痛，可能是用腦過多、呼吸不順之故。要知道人腦只占身體重量不到八分之一，但是血流量卻占三分之一。一旦用腦太多，腦細胞過度新陳代謝，廢物來不及排出，於是腦部堆積太多廢物，失眠、記性差、頭昏眼花於焉產生；另一方面腦部血流量激增也會導致腦壓亢進，頭痛緊接而來。

靜坐能讓腦部得到休息，肌肉鬆弛，全身血液正常分布，四肢百骸都得到暢通，尤其有病痛之處更能優先獲得血流而得以好轉或根治。

從醫學觀點來看平甩的奇蹟

平甩功的確是奇蹟，只要能天天練，而且練得得法。正如李鳳山師父常說的：「每天十分鐘，十年不得了！」但是大多數人即使每天只要十分鐘都做不到，當然體會不出平甩的功效。

每次開始平甩前，先讓呼吸與情緒平靜下來，接著閉上眼睛，將負面情緒如生氣、恐懼、傷心等一樣樣拋開，接著體會從頭到腳全身放鬆。之後開始平甩，每次以十分鐘為一節。剛開始我連續做三十分鐘，後來因為功法愈學愈多，就分開做，也就是融入生活中，無論在電梯裡、等車時、飯前飯後、睡前起床都可以練，即使甩個五下也好。

我以一個神經醫學專家來看平甩功，發現有以下好處：

■**身體保持中正**：人生病原因之一就是身體失去平衡，一般人無論行住坐

許醫師抗癌加油站

魄就是氣魄，是氣的最高表現。當初在我最痛苦、最無助的時候就是因為專心練功，使心安靜下來，之後氣感出現，然後湧出一股力量來，使我信心大增，做出不開刀的決定，而且在持續練功中，內心這股力量逐漸增強，師父李鳳山所言氣魄之感逐漸湧現。

臥，身體常常是歪七扭八的，不正的身體導致脊椎歪曲、脊神經受到擠壓、五臟六腑功能不彰，久而久之便秘、腸胃不適、失眠、腰酸背痛接踵而至。平甩之後，身體恢復中正，脊椎、神經或內臟功能自然會慢慢恢復正常，於是大病變小病，小病變無病。

■**平衡成規律**：人的生活無一不受習慣支配，好習慣使我們事半功倍、身心健康，壞習慣使我們疲於奔命、浪費生命。現代人因承受過多壓力而養成很多不良習慣，如熬夜、菸酒、大魚大肉等，把身體搞壞之後，不得不依賴藥物。平甩可以使我們恢復規律——身心靈的規律，即使一時忙碌或疲累，只要繼續多練平甩，很多病痛可以不藥而癒。

■**平甩防衰防老**：平甩每五下膝蓋彈兩下，這是非常有道理的。大家都知道神經科檢查時，醫師會敲病人膝蓋看看「膝反射」是否正常。「膝反射」不正常，常代表神經系統之病變。同時膝蓋活動是否正常也能看出一個人是否老化。如果膝蓋退化到無法行動，即使年齡不大，也表示步入老年了。相反的，如果能健步如飛，就算年過七十，也是人生七十才開始。平甩時很規律、很輕鬆的膝蓋彈兩下，可以預防甚至治療膝關節之退化。

■**平甩可以忘我**：平甩時兩手前後自由輕鬆擺盪，完全不需用力，進入狀況後，全身會放鬆，此時常會忘了手的存在，甚至身體也因爲甩出規律而進入忘我的境界。記得我剛得到癌症的最初兩個月，因爲放療的關係，一天要進廁所至少十次以上，當時心情緊張恐懼，肛門痛如刀割，我就坐在馬桶上甩起手來。在最壞的情況下感觸最深最快，不到三個星期，我的症狀奇蹟式的逐日改善，心情也逐漸放鬆下來。日後繼續甩手時，更能體會到師兄姐常說的練功要「鬆肩垂肘」。

可惜在我輔導的眾多癌症病人中，很難有人會很認眞的天天甩手。天下沒有不勞而穫的事，不努力怎麼可能成功？相反的，也有不少病人一聽平甩如此神奇，就天天猛練數小時，練到滿身臭汗，肩膀酸痛，超過身體的負擔，最後跑來質問師兄姐爲什麼病還沒好？這就是不懂得什麼是氣功。練氣功不能急於求成，要依循正確的指導，有耐性的天天練，日久自然可見成效。

李鳳山師父的平甩功融合了達摩老祖的洗髓功以及張三豐祖師的太極功，與其他地方所教的甩手功不同。有些門派的要求非常嚴格，以我的觀點來看，可能難以執行、不切實際。我非常贊同李師父所主張的：有時間多練、沒時間少練、精神好時多練、精神差時少練，天天要練，練到融入生活、忘我的境界！

首度在全國媒體前公開個人的抗癌經過

九十二年八月十五日星期五下午，是我人生中另一個重要時刻——參加梅門舉行的記者會，在媒體前公開個人的抗癌經過。這並不是我原來的計畫。

從發現症狀開始算起，當時我罹患癌症才一年，要和別人分享「成功」經驗，還言之過早，我是打算過兩年才公開我的抗癌經驗的。另外，癌症是我的隱私。平日看診面對病人的時候，我常常感覺到醫師似乎應該是個「不會生病」的人才有說服力。如果醫師都生病了，那還能爲人醫病嗎？我雖然不在乎別人知道我罹患癌症，但我也不會主動說，尤其是病人（不過有幾次當我面對癌症病人時，爲了激勵對方，我還是將我的故事告訴他）。當然親朋好友、同業同事早就知道我的病情，但一旦正式對外公開，全台灣的人都可能知道。即使師父曾經開示過：「我心中沒有隱私。人有了隱私，就會影響他的判斷或決策」，但我是平凡人，我還是有所顧忌。還有一個阻力則來自老婆大人，她擔心的是從我生病之後，收入就一落千丈，如果公開病情，那病人豈不是都跑光了，到時候我們是要去喝西北風嗎？

經過兩天兩夜的長考，我毅然決然做出決定：如期現身說法。雖然內心經過一番掙扎，但總有一股強大的正義感、一股勇氣，以及一種傻勁在激勵我、督促我。我決定要準時出席記者會，而且不僅要公開我的隱私，更要藉這機會大聲呼籲：

■ **對癌症病人呼籲**：癌症不是絕症，更不會致人於死，病人的死亡是來自恐懼以及治療之併發症。只要病人能夠勇敢面對，有毅力改善體質、練功不懈，自會有希望。

■ **對醫師呼籲**：化療、開刀、放療只是治標而已，即使是早期癌症，這些治療亦無法保證永不復發，因此在治療同時，

第一次做見證。

必須告訴病人要加強提升免疫力、改善體質，以減少癌細胞的轉移可能。當腫瘤復發時請勿以「只能活幾個月」來打擊病人，或因為治療效果不彰就把病人丟在病房，或不負責任的轉給其他醫師去收拾殘局，更不應該繼續以無效的治療如開刀、化療等破壞病人的免疫力。所有的醫師都應該反省為什麼癌症治療如此困難？死亡率如此之高？難道還要一昧拒絕所有另類治療嗎？

李鳳山師父說，重症患者要痊癒有三個要件：練功、吃素、發大願。現身說法就是我發的大願。

在記者會公開我的抗癌經過之後，癌症病人紛紛打手機向我請教，也有很多病人湧進梅門道場開始練功。當初所擔心的病人會流失並沒有發生，反而又多了不少癌症病人。

由於我的見證引起很大的迴響，梅門在十月五日加演一場「梅門英豪震撼教育」的功夫舞台劇，這次演出在李鳳山師父精心策畫與導演、師兄姐賣力演出下成功落幕。故事是演一位女弟子追隨師父習武三年，師父卻只教她掃地。她忿忿不平地抗議、生氣、怒罵甚至一度逃跑，但是在一次天人交戰之後她又回頭見師父，師父要她與大師兄比武，卻發現她的功夫高過大師兄，此時她才眞正體會出三年來師父的默默教導已經讓她身懷絕技。有一幕是女弟子跪在師父面前痛哭流涕、懺悔的說：「師父，我錯了，從今以後我把身、口、意都交給師父了！」師父點點頭，拿出一把傳家寶劍告訴她：「這把劍可以殺人，也可以救人，現在你已經領悟習武的意義，這把傳家寶劍就交付給你！」

當我看到這一幕時嚇出一身冷汗，想到我也有一支寶劍——外科手術刀，在二十年行醫生涯中至少動過一萬次腦部手術，但是我到底救過多少人？殺過多少人？

演出的後半場是由我與懷英師姐的父親饒伯伯（攝護腺癌末期練功痊癒）

許醫師抗癌加油站

人生病原因之一就是身體失去平衡，不正的身體導致脊椎歪曲、脊神經受到擠壓、五臟六腑功能不彰，久而久之便秘、腸胃不適、失眠、腰酸背痛接踵而至。平甩之後，身體恢復中正，脊椎、神經或內臟功能自然會慢慢恢復正常，於是大病變小病，小病變無病。

上台見證，我並沒有打草稿，當懷英師姐把麥克風交給我時，我稍微緊張的停了一兩秒之後，就如山洪爆發般的把所有情緒都宣洩出來，短短十分鐘我說到痛哭流涕、忘我的境界。除了把我自生病到加入梅門的過程說了一遍，我還下了如此的結論：「醫院的治療號稱有科學根據，但只不過幾百年歷史，而且其理論還不斷地被推翻，反觀氣功有幾千年之歷史，有千千萬萬人之實證，這不是科學是什麼？」

發願後判若兩人

在正式見證之前，癌症陰影有時仍會出現，當身體有些不適時，就以爲是癌症復發或轉移，想回醫院接受檢查。等到見證之後，我簡直判若兩人。癌症的陰影正式遠離我的生命，從此之後，我眞正過著輕鬆餘愉快的生活，這就是發願的效果。

在達賴喇嘛的著作《快樂》中，這位宗教領袖提到他一次生病的經驗。有一次他腹部劇痛，弟子們以救護車送他到醫院就醫。在路上他看到一個印度小孩受了傷，躺在路邊哀嚎，竟然沒有人去幫助他，達賴喇嘛突然一心想要去救這個小孩，竟然忘了自己腹部的劇痛。即使到了醫院，醫院的打針檢查也不知痛苦。這就是慈悲心，發願救人而到忘我的境界。

有一位中醫師得了肝癌，在接受栓塞治療後身體急速惡化，發高燒、嘔吐、失眠、食慾不振，他偕同太太來看我，我強烈建議他不要再栓塞了，並建議他採用我的自然療法，很可惜由於家屬意見分歧，無法接受。三個月後他太太再度找我，希望我去看他，因爲他已經住進安寧病房，天天打嗎啡過日子。他問我身體很痛怎麼辦？我回答說：「我也無法解除你的疼痛，除非你能發願！」他說：「我都快死了，如何發願？」我告訴他說：「如果我是你，我會發一個願。你、我都是醫師，我們都知道醫學院缺乏屍體解剖，我死後會把身體捐出。我活不下去，至少這個身體還能幫助醫學生。」

他聽不進去，在九十二年除夕夜打完最後一針嗎啡。走了！

很多癌症病人生病之後就一直抱怨、嘆氣、害怕、失眠，長期活在負面情緒中，不知感恩惜福，更不知如何發願，有的人說等病好再發願，殊不知發願可以治病，願愈大療效愈明顯。走筆至此，才深深深體會到李鳳山師父的眞知灼見，感謝師父給我的最佳良方：發大願！

全民健康甩，甩出幸福來

從九十二年十二月起，李鳳山師父率領梅門全省義工開始在全省辦六場史無前例的大型健康戶外活動，主題是「全民健康甩，甩出幸福來」。我很幸運的被安排在其中做見證。對我來說這是空前的經驗，首次走入人群，面對廣大的群眾，對我的病情與健康更有無上的助力。每一場見證對我而言都有不一樣的感覺，我的見證內容也有所不同。

第一場在台北二二八公園音樂台。在上台見證時，忽然看到正前方的紀念碑，使我想起父親。雖然我父親是白色恐怖的犧牲者，而不是死於二二八，但都是政治事件。敘述完練功抗癌的經過後，我提到了父親，說父親是一位優秀的醫師、專業的學者，不幸因爲政治思想的差異被犧牲掉了，當踏上刑場面對死亡時，父親表現出巨大的勇氣與氣魄。我身上流著父親的血液，所以當我面對癌症的死亡威脅之時，父親的表現與犧牲積極的鼓勵我、協助我，讓我化危

在梅門全民健康甩公益活動上表演。

機爲轉機。

第二場是在台中市。那天又濕又冷，大家很擔心沒有人來。節目開始之前，策畫麗雪師姐召集大家說明，無論天氣如何，無論參加民衆多少，即使只有一人，大家還是要賣力演出。這席話激發了梅門精神：精誠團結、配合領導。的確，由於天氣不良民衆大爲減少，但是也至少來了幾百人。由於有了第一場的經驗，這場我的功力大增，勇氣十足，也當衆表明我發大願的心。

第三場在高雄體育館外廣場。累積了前兩場的經驗，我輕鬆上台見證，暢談平甩功的奧妙。我說：「李鳳山師父告訴我們每天十分鐘，十年不得了。一年前我得了癌症之初，就進了梅門，每天至少兩小時練功，不曾一天中斷。如今甩手至少超過一百萬次。今天健健康康站在這裡，像個癌症病人嗎？像嗎？有人質疑我，一位醫師不在醫院看病跑到這裡來練功，是頭殼壞掉嗎？平甩功眞的有效嗎？有科學根據嗎？什麼是科學？簡單說『重複出現』就是科學。譬如三千年前太陽從東邊出來，三千年後一樣從東邊出來，這就是絕對的科學。醫院的治療是科學嗎？當然是科學，但是科學更講究證據力，如果醫院的治療有效是科學，爲什麼還有那麼多人死亡？顯然證據力不足。再看平甩功，雖然很簡單但是卻是科學。大家平行腳一站，兩手平舉，脊椎自然打直，在脊椎骨兩邊有很重要的主導著五臟六腑的自律神經系統。當脊椎骨正直之後自律神經不受壓迫，自然發揮功能，我們的五臟六腑就會順暢，這也就是李鳳山師父講的『十指連心』的道理。在放鬆甩手時，可以體會出輕鬆、平衡、氣機出現。每五下膝蓋彈兩下，這更是科學。人類是地球上唯一能直立行走的動物，人之所以會站起來是歷經幾百萬年的努力，克服地心引力的結果。當我們嘗試要站起來時，地心引力卻強把我們拉下去，如果用顯微照相，我們的膝蓋隨時隨地是在上上下下。今天我們甩手每五下膝蓋彈兩下，竟是代表著人之所爲人的偉大表現。各位先生女士，在我最痛苦的時候，是用平甩功來克服的。只要大家願意進來梅門。相信你就會有我今天的體驗！」

第四場在台南市公園。由於台南是我老家，有很多鄉親認識我，我用了將近十五分鐘把得病的經過和練功的心得一五一十道出。第五場在新竹、第六場在宜蘭，我都躬逢其盛。一次次的上台見證，不僅信心十足、心情愉快，心境更是又上一層樓，深刻體會到走入群眾是這樣的快樂，眞正體會到利益眾生的可貴，也讓我更珍惜自己所擁有的、所經歷過的一切。

雖然有不少病人聽了我的見證而進來梅門練功，但是有恆心的不多，許多人三個月後就不見蹤影，正如李鳳山師父所感嘆的：「有緣人變成無緣人」。一年來我陸續聽到一些癌症病人不幸往生的例子，他們多半抗壓性低、不夠堅強、不夠努力，一遇「換勁」（練功過程中出現的酸、麻、腫、痛等不適的狀態）

許醫師抗癌加油站

很多癌症病人生病之後就一直抱怨、嘆氣、害怕、失眠，長期活在負面情緒中，不知感恩惜福，更不知如何發願，有的人說等病好再發願，殊不知發願可以治病，願愈大療效愈明顯。我深深深深體會到李鳳山師父的眞知灼見，感謝師父給我的最佳良方：發大願！

容易失去信心。像是台中一位罹患肝癌的師兄加入梅門練功之後，病情大為好轉。在「全民健康甩」全省走透透活動中，與我一起上台表演過，每一次見面大家都互道平安。沒想到一年之後再見，竟然癌症復發，兩眼泛黃，呈現肝衰竭現象。他兩位練功的兒子說，這一年父親因為參加空大電腦班，常常打電腦到深夜，沒有認真練功。結果，沒多久這位師兄就往生了，多麼遺憾！

梅門聚餐與李鳳山師父見面觀感

時間過得眞快，練功已經進入第三個年頭了，持續感受到梅門功法之好。最近一個多月，雙肩與股關節疼痛不已，甚至無法靜坐，這是所謂練功中的換勁。我仔細分析，發覺換勁與生病的區別主要在精神狀態。一般生病時，即使是小小的感冒也會讓人精神不繼、食慾不振，而換勁時我卻仍然精神十足、食慾正常，同時在練功之後能明顯消除疼痛。在很多次與師兄姐的談話中，發覺大家都有過換勁的經驗，雖然個人感受不同，但是只要堅持下去，一定會突破瓶頸的。

成爲梅門弟子，除了練功外，最重要的是能夠聆聽李鳳山師父之開示。幾次下來對李師父由敬畏、敬佩到感動、心服口服，加深了我對梅門的信心與未來前途的樂觀。現在回憶起三年來與李師父六次見面的感想，一次比一次深刻。

第一次是在九十二年二月二十三日的台中引導大會上。當時我正在接受和信醫院的治療，想請示李鳳山師父我是否要接受開刀，現場有上千人，李師父當然不可能回答我的問題。在台下看著台上的李師父，好像巨人一般，高高在上，說話宏亮有力，氣勢磅礡，充分顯示出是一位高人。這次台上台下有距離的見面，驅使我在三月初正式加入梅門開始練功。

第二次是最重要的一次見面，是在我完成治療後一個月，到和信醫院回診的日子，時間是九十二年四月一日。這次見面是師兄姐特別安排的，當時我依然猶豫著是否接受開刀。我一直問自己，有什麼跡象出現才可以讓我決定不開刀？結果當晚見到李師父前，我已經決定不開刀了，因爲和信複檢腫瘤完全消失，而且經過一個月練功後，我身體狀況比生病前更好。另外，經我綜合各方面的資訊，我知道癌症是一輩子的事，不是開刀就可以解決的。開刀只是在統計上會增加存活機會而已，但是開刀會帶來多少後遺症及併發症，以及破壞多少免疫力？想通了，所謂心悟就會喜，於是在見到師父後，我就直截了當的向李師父報告我生病過程、加入梅門的機緣、決定不開刀的思維，我不需要李師父協助我做決定，因爲只有自己決定才是眞正的決定。

與李鳳山師父（中）合照。

這次見面我與李鳳山師父面對面坐著，發現李師父大約一百七十五公分左右，很瘦，說話輕聲細語，並不像武俠小說裡所描述身懷絕技、武功高強的武林奇葩，但是李師父的平易近人、句句箴言令我敬佩不已。尤其當我對師父說我已經做了重大的決定，李師父翹起大拇指表示讚賞。離開時，我心裡是何等的滿足！何等的自信！

第三次見面是李鳳山師父生日晚會，這次又是台上台下的見面，於是李師父又恢復到高高在上的感覺。這次讓我最震驚的是，梅門不只是嚴肅的氣功團體，師姐們竟然也會穿起熱褲跳起勁舞來。來賓多達一百多位，而且不乏知名之士，可見李鳳山師父的人脈關係非常好。會中有不少師兄姐的見證又給我深一層的感受，梅門氣功確實可以嘉惠很多生病的人。

第四次見面是五月份李師父來台中開示。開示前李師父與太極拳班聚餐，特別邀請我也參加，讓我備感殊榮。當時加入梅門才三個月，我一直對這個團體充滿好奇，這次近距離的觀察，使我覺得梅門像個大家庭，不分彼此。李師父言談中一股正氣凜然，令人肅然起敬。

第五次見面在六月底，李師父來台中與全體師兄姐會餐，參加者超過百人，大夥兒聆聽李師父開示，場面相當感人，尤其是很多師兄姐的心得報告令人落淚。有位來自台南的師姐是骨癌末期，已經開過六、七次刀，竟然活了十年以上，她的罹癌經驗令人感慨萬千，我比起來真是小巫見大巫。現場最重要的一個發問，是一位師姐問到隱私如何處理？李師父開示說：「人一有隱私，就無法赤裸裸來往，行事就會受到牽制」。然而每一個凡人都有隱私，講更明白一點，都有不可告人之事。要大家把隱私講出來絕對是不可能的事，李師父卻常常夢見自己一絲不掛出來跟大家見面，表示李師父心裡坦蕩蕩、毫無隱私。李鳳山師父之異於常人，令人敬佩。

第六次見面是在九十二年七月二十二日與台中週二班的師兄姐聚餐，我與李師父同桌，得以與李師父交談，之後與大家分享心得。我說我在醫院逐漸變成邊緣人，因爲我在看病時，常教病人甩手；告訴他們與其吃一大堆藥，不如去練功。正如李師父所說的：「藥補不如食補，食補不如功補。」我也開玩笑的說我的病人愈來愈少，梅門弟子愈來愈多，有一天我能組成「阿達一族」來聚餐。李師父開示說：「阿達師兄能就醫學專業之外更把範圍擴大，在急性期用西醫的方法很快解除病人的痛苦，之後再推廣梅門氣功養生術，讓病人持續保養身體，這是了不起的。」

九、心靈療法

身心靈這三個字到處被人使用，從宗教到美容SPA都在標榜身心靈。我不是宗教家也不是生死學者，我很單純的從個人經驗來看，「身」就是身體，身體會勞累、會病痛、會排洩、會討吃。「心」就是心情、心念、心境等，我們常說某某人心地善良或心腸很壞，這是看一個人行爲表現來判斷，因此「心」是要借「身」來顯現，也就是「身心」是一體的，是受到時空所限制的。「靈」則是跳脫時空進入另一個境界裡。在「靈」的境界裡，我們談生死、談輪迴、談虛實、談陰陽、談靈魂等。談身心問題很容易，要進入「靈」卻難以用言語形容，但如果從所謂「心靈」入手則比較有眉目。

許醫師抗癌加油站

雖然有不少病人聽了我的見證而進來梅門練功，但是有恆心的不多，許多人三個月後就不見蹤影。他們多半抗壓性低、不夠堅強、不夠努力，一遇「換勁」（練功過程中出現的酸、痲、腫、痛等不適的狀態）容易失去信心。其實只要堅持下去，一定會突破瓶頸的。

心念之轉變

心念之轉變看是容易，實則非常之難。俗話說一念之差，差之千里。很多悲劇都是在一念之間做出來的，如自殺、殺人等。等到清醒過來已是終身遺憾。人有個性，更有本性，每個人一出生就具有獨特的性格、特質，俗語說的好：「一種米養百種人」。世界上沒有兩個人想法是一樣的，就是因爲有如此之差異，造就了今日既熱鬧、又紛擾之世界。

要去影響另一個人之想法是何等的困難，這不僅是要把生活背景、教育程度、理念思考、價值觀念造成的差異拉近，更重要的是要改變骨子裡的本性與特質。有些人一發事情總是先往負面、悲觀方向想，有人就樂天知命，往樂觀面去思維。

在我輔導癌症病人的過程中，最困難的是心念無法轉變者，儘管我說得口沫橫飛，他卻不爲所動。有些人儘管瞭解癌症之可怕，但依然不知自省，依然喝酒、熬夜、吃檳榔、吸菸，似乎是老神在在，到了末期群醫束手無策時，就自暴自棄；還有些人雖然想改，但卻揮不去恐懼緊張的心理，不停花大錢去尋求秘方，等到無望就怨天尤人。如何讓這些人心念轉變，眞是難如登天，還讓我一度想去學催眠，藉此挖掘這些人內心深處與潛意識裡眞正的想法。

宗教家講因緣，談放下，祈求大家發揮慈悲與智慧。聖嚴法師說得好：「智慧沒有煩惱，慈悲沒有敵人。」有宗教信仰的病患，多半病情會較輕。但也要看是否心眞的能放下，有一些人儘管天天阿彌陀佛，但內心卻依然在恐懼與緊張中。

當我從吃大魚大肉變成茹素，從喝可樂變成喝電解水，從打網球變成練氣功，從魯莽衝撞到心平氣和，親朋好友都很驚訝，但其實不過就是一念之轉而已。

長久觀察抗癌成功的病人，最大因素就是心念之轉變，這一轉變代表著內心之懺悔與油然而生之強大力量，有力量就會堅持，就會有智慧，就沒有煩惱。即使是末期，病情依然可以得到控制。

在我接觸過二千位癌症病人後，不得不承認心念轉變的確是非常困難。我看過大學教授罹癌後，憂慮到天天服安眠藥；醫師罹癌後不求正規醫療，接受秘方治療後惡化而崩潰；也看到法師、尼姑、牧師罹癌後依然恐懼害怕；一位罹癌已經十年自以爲無事的中年人，卻被檢查出癌症復發而且已經全身蔓延，當場在我面前崩潰。相反的，我看到一位農婦罹癌後，照常下田工作根本不去擔心，幾年後她依然健在；也看到一位婦女罹癌後，先生跑掉，獨自一人扶養三位子女，她對子女說我不會倒下去的，這種堅強的求生力量就是最好的抗癌藥方。我手機二十四小時開放，常常傳來對方緊張甚至哭泣的聲音，雖然經我用心開導後，他們心情稍微穩定下來，但很快的當他們回醫院複檢時，常常又因爲腫瘤變大或癌症指數升高而再度崩潰。我仔細分析爲什麼這些人不能跳出陰霾呢？主要有以下幾點：

■ **不敢面對**：一般人面對危機常常是選擇逃避，這也是爲什麼當病人罹癌之後，家屬都傾向不給病患知道，以爲如此對病人最好，而醫師也多半尊重家屬而傾向避重就輕，甚至給以甜蜜的謊言。但是病人眞的被蒙在鼓裡嗎？我以爲不可能。因爲他要長時期、多次住院，心身遭受極大的痛苦，心中怎會不懷疑。大家如此心照不宣，不敢面對，只會加重病情。

■ **六神無主**：當自己罹癌後，在恐懼害怕之下，常會呈現六神無主，不知所措的狀態，尤其是親朋好友更是提供一大堆抗癌秘方，此時不僅要承受身體的病痛，又要加上親朋關懷的壓力，這些都不利於病情的好轉。

■**受制於人**：有些病人雖然自己不怎麼恐懼，心情也不錯，但是卻受制於親朋好友。有一次一位中年人來找我談肝癌的事，談了好久，我以爲是他自己罹癌，結果竟然站在旁邊的兒子才是病人，但是他卻一語不發。做父親比生病的兒子更擔心、更害怕，而兒子雖然有自己的想法卻被壓抑，這對病情也是不好的。當時我要父親閉嘴，轉而要兒子親口說出他的感受與決定，畢竟生病的人是他。又有一次一對夫妻來看我，先生很瘦、臉色不好看，太太心情愉快且時有笑容。大部分時間都是先生在發言，先生說太太罹患乳癌，手術後目前病情穩定，但是深怕復發，所以他把家裡做了很大的改變，爲了遠離污染，把整個家重新裝潢，臥室更如開刀房一樣的乾淨，但是這位神經質的先生覺得依然不夠，除了不斷查資料看書，更帶著太太走訪很多抗癌專家，其抗癌知識比我多，但我卻覺得他走火入魔了。因爲他汲汲於追求外在，內心卻是不踏實的，而太太又必須屈服於先生之下無法做主，這對病情也是不利的。

■**求外不求內**：很多病人因內心恐懼、六神無主加上受制於人，今天到某山上求秘方，明天到某寺廟求明牌，甚至遠到國外去練氣功。花錢花時間事小，但最後依然活在恐懼害怕之中，病情當然沒有好轉，甚至惡化。很多人天天禱告或唸觀世音菩薩聖號，但內心依然不安，因爲他們都求外不求內。但是，唯有心安，才有平安。

■**無法看破生死**：談癌變色主要是因爲癌症被視爲絕症，一旦被診斷出癌症，似乎就要立刻面對死亡。的確，台灣地區每天有一百二十個癌症病人死亡，每八分鐘就有一位被診斷出罹患癌症。這些數據令人恐懼。不少癌症病人即使已經緩解好幾年，卻依然籠罩在死亡威脅之中，甚至長期憂慮失眠。看破生死是如此的困難，如果有宗教信仰的，有教友協助的，或有親朋關心的，當比較能釋懷。達賴喇嘛說得好：「死對我而言，就像衣服穿舊了換一件新的一樣！」又說：「要死得安祥，在活的時候就要活得安祥！」

從恐懼到無懼

過去兩年來我透過每個月「跳出陰霾、健康快樂」的癌症研討會，不斷鼓勵病人正確防癌、治癌以及身心靈修練，但是大多數病人的恐懼感依舊揮之不去，因此我開始思索到底要如何幫助他們呢？因爲我相信恐懼就是癌症的最大死因。

雖然身爲神經科專家，我並不瞭解人爲什麼有恐懼？人如果沒有恐懼可以活下去嗎？有恐懼才能警惕自己嗎？恐懼是否是一種人體必須的正常反應呢？於是我展開一連串的研究，希望能發現一種助人去除恐懼的方法。我相信如果能拿掉恐懼，癌症病人就會得救，或至少不會死得那麼痛苦。

首先我嘗試從神經科學領域來探討恐懼，但是很失望，因爲現代神經科學並無法解釋人類的恐懼。沒有哪一個腦細胞或哪一個神經迴路是負責恐懼的，

許醫師抗癌加油站

在我接觸過二千位癌症病人後，不得不承認心念轉變的確是非常困難。長久觀察抗癌成功的病人，最大因素就是心念之轉變，這一轉變代表著内心之懺悔與由然而生之強大力量，有力量就會堅持，就會有智慧，就沒有煩惱。即使是末期，病情依然可以得到控制。

如果有那就簡單了，因爲現代神經外科技術可以很安全的切除腦子任何部位的神經組織。

那恐懼究竟是先天具有或者後天學習來的呢？我閱讀了不少精神科及神經科的專書後，肯定恐懼是後天學習來的。既然人類經由學習產生恐懼感，是否可以經過學習而解除恐懼呢？。

有五種人不會有恐懼感，一是兩歲以前的小孩子，二是腦萎縮的失智病人，三是心已死、放棄求生的人，四是戰場上的敢死隊，五是懂得放下的人。大家回想一下：你記得兩歲以前的事情嗎？絕大多數人是記不得的。雖然人一出生腦細胞就已經存在，且終生不再分裂，但是神經迴路（腦細胞之間的聯絡）在兩歲以前是不成熟的，甚至尚未發育出來。

神經迴路是後天根據學習而不斷發展出來的，由於每一個人所接觸的學習環境不同而產生了不同的神經迴路，以至於產生不同的生理或心理反應。因此兩歲以前的小孩子可以不怕蛇，可以吃大便，但是他們碰到會傷害的身體的事物時，譬如手被開水燙到會立刻大哭，同時會馬上把手縮回，這是人乃至於所有生物的天生自我保護本能，但因爲沒有恐懼感，所以小嬰兒下次還是會再犯同樣的錯。三歲以後經過學習就會產生恐懼感，遇到滾燙的開水就知道迴避。

人類是習慣的動物，常會吃一樣的東西，走一樣的路線，以同樣的思維方式處事等等。習慣除了要經過持續不斷的學習外，同時要依賴生物另一種天生的本能——記憶。即使是單細胞生物（如草履蟲）經過學習，也知道逃生或自我保護，但因爲只是單細胞，所以反應很簡單。生物的學習能力強弱端賴其記憶能力的強弱，人腦是生物中最發達的，記憶力也是最強的，所以可以成爲萬物之靈。當腦部退化，腦細胞逐漸死亡時，記憶立刻受到影響。最先喪失的是「短期記憶」。病人會常忘東忘西，但過去的記憶尚且保留，就好像電腦硬碟資料尚在，但新資料無法存檔。等到更嚴重時，硬碟出現壞軌，舊資料就會逐漸喪失，最後病人對人事物地完全失去記憶，生活起居需人照顧，此時病人是不會有恐懼感的。

有些人身體健健康康的，卻沒有活下去的意願，可能是因爲得不到愛情，或債台高築。軍人在戰場上面對來勢洶洶的敵人奮力一搏，這時因爲沒有選擇餘地，當然生死也顧不了了。

雖然癌症病人聆聽醫師的判決後都會恐懼「自己要死了」，可是我深究之後卻認為，大家恐懼的不是「死」本身，是因為放不下而恐懼，恐懼「痛」，也恐懼「失能」。放不下親人、工作、錢財、理想等，想到死了就是放棄這一切而恐懼不安。佛學大師常常告誡世人要懂得放下，能放得下的人就不怕死，既然連死都不怕當然就不怕癌症。

恐懼是人為了保護自己而必須有的情緒反應，但如何克服面對，每個人的心情轉折卻不盡相同，如能心念轉變、情境昇華、放開一切，自然懂得處理恐懼！

習慣成自然

恐懼既然是經記憶與學習而來，當然也可以經學習而加以忘記與克服。但是為什麼眾多的癌症病人無法跳出恐懼的陰霾呢？原因就是習性，也就是大家從小就學習對死亡的恐懼，這種恐懼是根深柢固的，但是在西藏則大不一樣。西藏宗教領袖達賴喇嘛有一次在與一群精神醫學專家談生死時說到，由於西藏人對死後輪迴、轉世有堅定的信仰，因此對死亡較不恐懼。由此可見只要大家的生死觀念有所改變，恐懼感會立即減輕或消失。

九十三年九月我受邀到南華大學生死研究所發表演講，這是我第一次到學術單位演講，前兩星期我惡補了一些有關生死學的雜誌、書籍與論文，對生死觀念有了更深一層的認識。演講後向釋慧開院長及一些法師請益，終於找到一些解除恐懼的方法。以下幾點建議請大家參考，只要大家開始思考生死問題後，就會慢慢釋懷而遠離恐懼。

■**從禪學看生死，無生無死**：孔子說：「不知生焉知死！」儒家似乎有避不談死的態度。禪學大師卻告訴我們無生無死。越南的一行禪師說得非常清楚，他以水來闡明生死道理。水分子在不同時間、不同狀況、不同因緣下，以不同的狀態呈現，但無論是水、冰、霧、雲、氣等狀態，都是與大地配合、與自然協調的。人的生死也應該如此。想想看我們是為什麼出生的？父母親是為了生出我們而結婚的嗎？當然不是，大多數的人是無意中出生的，是在一些因緣聚合中出生的。我們一生的經歷，也都是在某些因緣條件下（人、事、物、地）發生的。人的死也是如此，就像水分子的變化一般，當因緣條件改變了，形體就以不同方式呈現，表面上似乎是死了，但是物質不滅定律告訴我們：我們並沒有消失，只是以不同形式存在而已。也許在某些因緣之下變成一朵花、一隻貓、一棵樹，或宇宙的一分子，在太空中漂浮呢。

南華大學人文學院釋慧開院長是一位留美數學博士，他告訴我，有時一個數學難題在一個小範圍無解，但是當範圍變大後就自然迎刃而解；李鳳山師父也告訴我們要不斷的把領域擴大！所以不要再侷限於生死狹隘的空間中了，「你」是可以無限擴大的，是可以與天地結合的。

■**從醫學來看生死，生生死死**：事實上人體內無時無刻不在進行生與死。人體內大概有一百二十億個紅血球，每一個紅血球壽命是一百二十天，所以每天身體裡就有一億紅血球死亡，但是同時又有一億個新的紅血球誕生。加上其他細胞如白血球、膠原細胞、內膜細胞、皮膚細胞等，一樣時時刻刻都在生與死，因此一秒之前的我們與一秒之後的我們是完全不同的，因為我們早就在因緣之中變化無窮了。

瞭解這些道理之後，你還會執著於單純的生與死嗎？你還在恐懼嗎？如果你依然恐懼，那我再告訴你：癌症也是因緣際會中自然出現的。癌症不是無中生有的，是正常細胞因為環境惡化了，為求生存就開始突變。以我罹患大腸癌來說，因爲我長期大魚大肉，少喝水，只求味覺的享受，而把大量的酸性毒素、自由基、致癌物等塞給直腸，加上工作忙碌、壓力大，大便異常發酵，直腸細胞長期浸潤在如此惡劣的環境下，爲求生存當然只好突變了。其他種種癌症大都是如此因緣之下產生的，事出有因，有因果報應，只要眞心願意懺悔改過，希望是無窮的。

許醫師抗癌加油站

癌症病人都會恐懼「自己要死了」，但我認爲，大家恐懼的不是「死」本身，而是因爲放不下而恐懼，放不下親人、工作、錢財、理想等，想到死了就是放棄這一切而恐懼不安。佛學大師常常告誡世人要懂得放下，能放得下的人就不怕死，既然連死都不怕當然就不怕癌症。

大師的智慧話語

智慧的語言來自智慧的大師，短短數語即可道盡天下義理、可點破迷津、可提振人生、可當頭棒喝，甚至可令人懺悔而放下屠刀立地成佛。三年來我不斷的閱讀一些大師們所寫的書，尤其是佛教方面的，在我生病期間，重建了我的信心，改變我的人生價值，讓我心念轉變。下面幾句就是影響我最深的至理名言。

■**聖嚴法師「面對它、接納它、處理它、放下它」**：每一次與癌症病人對談時，我常以這四句箴言來勉勵對方。很多人面對各種危機常常以逃避來面對，結果是問題愈來愈嚴重。勉勵別人容易，自己做到則不簡單，不少人在鼓勵別人時常不得要領，因爲連他們自己都做不到。我很慶幸過去三年中不斷地勉勵自己面對問題，做最壞的打算，做最大的努力。

■**聖嚴法師「人需要的不多，想要的太多」**：有一次開車經過台中火車站，無意中看到一面廣告牆：一個骨瘦如材的印度小孩睜著大眼，看向遠方，露出無邪而可憐的眼神，手上則抓著一盤剩菜，顯示他已長時間生活在飢餓的邊緣。這原本無甚新奇，但突然間我注意到廣告角落邊出現一行不顯眼的字句：「人需要的不多，想要的太多」。剎那間，我愣住了，內心感動萬千，不由得流下眼淚，我把車停在路邊，心情澎湃不已。我想到人生爲什麼那麼苦？癌症病人爲什麼那麼恐懼？答案就在這句話中。人因爲不知足、貪得無饜，而不斷的要求、追求，得不到時就失望抱怨，最後落得絕望之地。

■星雲大師「生要接受，死要準備。」：星雲大師如星如雲，走遍全世界，爲普傳佛教，不辭辛勞。當人家問他說：「你天天如此奔波，什麼時候可以休息呢？」大師回答說：「到那一天就是我休息的時候。」大師又說：「我休息中不休息，不休息中休息。」所以大師在旅途中依然不停寫作，在講經中專心一致，精神入定，是工作也是休息。大師的幽默從其著作中即可看出，懂得幽默的人，生活是多麼愜意。當我閱讀大師的《老二哲學》一書之後，令我慚愧萬分。過去我一向得理不饒人，據理力爭，結果是撞得頭破血流，退一步路保百年身，眞是至理名言啊！

罹癌之後，我雖未退出外科工作，但是心境完全改觀，以前從事外科是職業，是在賺錢。現在工作是在從事志業，是一種奉獻。病人來，我要把最好的給他，希望他早日恢復健康。我體會到外科醫師的最高境界是爲病人找不開刀的理由！

■ **達賴喇嘛「要死得安祥，在活的時候就要活得安祥！」**：每次看到達賴喇嘛都很舒服，因爲他臉上永遠掛著開心的微笑。一個人常常笑是可能的，但是無論何種場合，見到何種人，都能自然面露眞心的微笑則不簡單。看過幾本達賴喇嘛的書，可瞭解到達賴喇嘛眞是一位具有赤子之心的宗教領袖，獲得諾貝爾和平獎當之無愧。西藏子民因爲有虔誠的信仰，對生死看得很開，所以對罹患重大疾病較能夠釋懷。他們相信死後可以輪迴或轉世投胎，死不是結束而是另一種開始。如果癌症病人有這種情懷、心胸，就知道如何面對癌症了。

■ **李鳳山師父「藥補不如食補，食補不如功補」、「每天十分鐘，十年不得了」**：師父練功四十年，已經到了出神入化的地步了，每次聆聽師父的開示，都讓我感動得五體投地。隨師父練功不僅練得外功，更重要的是習得內功。師父常提醒，如果只懂得外功，不會持久，更可能傷身。大多數人練功不堅持，即使每天十分鐘也抽不出空來。要知道今天沒時間練功，將來就有時間生病。三年來我從沒有忘記練功，每天早上六點到八點是我練功時間，因爲我切記師父所提示的：「練功是最重要的！」

手機是一條生命線

早在生病之前，我就二十四小時開放手機給所有需要的病友、民眾，當初很多醫師同事都不以爲然，甚至警告我會帶來黑道的恐嚇或病人的騷擾。腦神經外科是一個緊張、緊急、分秒必爭的行業，常常會因一時的疏忽、分秒的怠慢而延誤了病人的病情，曾有多次因延誤而救不起病人，感到十分的懊惱與遺憾。過去二十年的臨床工作中，已經有數不清的夜晚接到醫院緊急電話而飛車趕到醫院進行手術（曾經在高速公路以時速二百公里飛馳，連警察都追不上，也曾經一個月接獲高達六萬元的罰單），由於醫師工作忙碌，無法與病家多溝通，以及要掌握最新病人狀

我謹記李鳳山師父的話，練功是最重要的，三年來從不間斷。

況必須與加護病房第一線護士保持二十四小時的通訊暢通，我開始開放手機給家屬與護士，雖然有一些焦急的家屬或緊張的護士會多打幾通電話，但是也因爲如此挽救了不少病人。開放手機是非常重要，事實上幾年來因開放手機所帶來的不便幾乎是微乎其微，騷擾或恐嚇更是從來也沒有過，半夜接到電話也不多。因此我相信大家都是有理智的，不會故意找人麻煩。相信自己也相信別人，就是最好的待人態度。

生病之後，我的手機更形重要，每天不斷接到癌症病人或家屬的來電，常常接到手軟肩酸。每一通電話都像是一條生命線，緊緊聯繫著我與他（她）。常常電話那頭傳來病人的恐懼、害怕、緊張甚至哭泣，我絕對盡一切力量給對方鼓勵、說明、指導、分享，希望對方能跳出陰霾，早日拾回信心。某天一早接到一通來自嘉義的電話，對方陳先生是帆船教練，罹患大腸直腸癌第三期，在高雄長庚接受手術並做人工肛門，開始恢復不錯，但三個月前醫師準備安排把人工肛門接回去，發現肛門下端有狹窄，必須先做肛門擴創術。沒想到做完擴創術後陳先生開始遭遇腰酸、小便困難、肛門旁劇痛，無法正常生活、正常飲食，甚至想尋死。這通電話讓我想起三年多前自己的痛苦。當時我咬緊牙根，練功、靜坐，結果不到三星期痛苦就逐漸消失，我無法給這位陳先生甚麼特效藥或明牌，只能給以經驗分享、鼓勵他勇敢面對人生，要以視死如歸、死而後已之精神來度過這痛苦的時間，更要以「每一天都是我人生的第一天，也是最後一天」來感恩惜福，來珍惜每一天，只有如此，才能自救。

一通通電話與天天面對癌症病人，讓我對生死、現代醫療、癌症、人生與價值觀有了更深一層感觸，這些珍貴的對話都不是醫師能聽到的，有些甚至是醫師不願意聽的。讓我開始質疑醫師的所做所爲都在救人嗎？醫院是提供一個健康場所，還是殺戮戰場呢？病人的哭訴聲打進我內心深處，讓我無奈，讓我

許醫師抗癌加油站

我隨李鳳山師父練功不僅練得外功，更重要的是習得內功。師父常提醒，如果只懂得外功，不會持久，更可能傷身。大多數人練功不堅持，即使每天十分鐘也抽不出空來。要知道今天沒時間練功，將來就有時間生病。三年來我從沒有忘記練功。

極想跑到大街上大聲吶喊：醫師們，請拿出您的良心！

我很幸運當初選擇不開刀，且努力做生命的重整，如今三年活的健康快樂。老天爺讓我重生，讓我覺得責任愈來愈大，我發大願要一路走下去爲癌症病人服務，直到最後一天，最後一口氣！

與癌症病人面對面

很多癌症病人不敢面對問題，所以絕大部分我所接到的電話都是家屬代爲詢問的。這時我常常要求病人親自前來，當面說出他的想法，尤其是對生命的看法，大家一起討論。有一些病人拒絕來，理由不外乎：化療中身體太差了，怕感染；談也沒用；住院中等等。有些家屬先來與我溝通，要求我不要對病人說出實情，這眞是兩難，既要我提供良方，又要我隱瞞事實，不誠實以對，如何教病人瞭解而遵守我的自然療法呢？

面對癌症病人及家屬，我從幾方面下手：

我（右三）與梅襄陽（右二），李豐（右四）前輩一起出席周大觀基金會「人間有愛」健康講座。

■**先簡單瞭解病情**：雖然西醫對癌症有很嚴謹的分類、分期與預後之評估，但從自然療法來分析，這些都只是統計數字，僅供參考。每一個癌症病人都是獨一的個案，必須個別輔導。準備充分的家屬常常會攜帶重要住院摘要，讓我可以詳細向他們解釋很多醫療上的問題，如病理報告如何，檢查報告說什麼，分期的意義等，之後再分析病人爲什麼得癌症，有什麼誘因，是因爲工作、情緒、壓力、飲食不當、污染或老化等。

■**檢測病人的自知程度與反應**：很多家屬要求不要據實以告，深怕病人無法承受。事實上，大多數病人其實是知道自己病情的，只是不戳破，這是不對的態度。想想看癌症病人到醫院去接受漫長而痛苦的治療，如何能隱瞞呢？誠實以對是我第一要求。我常在平和的氛圍下，以同病相憐且誠懇的態度，委婉向病人解釋正確的癌症觀念，然後我會要求病人自己說出得病之後的感想，從病人的表現就可以瞭解其預後。能夠老實的說出自己的感受者，預後會較好，相反的，如果一語不發、勉強開口、或故做鎮靜，不敢面對現實者，病情一定惡化。

■ **瞭解病人的助力與阻力**：我會先觀看病人是否可以自己掌控生命之脈動？能自己做決定、且有執行力者，是輔導的最佳對象。瞭解病人本身後，再從家屬，尤其是有決定權的親朋好友探知病人是否說了實話？其周邊助力或阻力有多大？可以化解嗎？有的病人助力很夠，有的恰恰相反，病人與家屬當著我的面互相指責、爭辯，這類病人最可憐了。有一位淋巴癌患者已經接受化療十年，所有化療藥都用過了，但依然持續惡化。或許是被折磨得無奈了，她談起癌症毫不激動，但是卻在我面前大罵特罵先生與婆婆，她說生病之後既要忍受化療之苦，還要努力工作賺錢養家，而先生卻整天遊手好閒，要她供養，婆婆更是看她不順眼，竟日辱罵她，常常說要死趕快去死。當她在我面前訴苦時，先生就在外頭吞雲吐霧，看到這種情境，我毫不遲疑的建議她馬上離婚，好找回自己的生命控制權。能掌控自己生命的人是無懼於癌症的！

■ **說明雞尾酒自然療法**：解釋有機素食、優質電解水、梅門氣功，以及有科學根據的抗氧化、抗癌產品。由於這部分要花很多錢，我除了說明一般原則外，會根據病家之經濟能力提出一些建言與處方。很多癌症病人早已自行購買不少抗癌產品，如蜂膠、樟芝等等，對於不瞭解的產品我一向是不予置評，我只是給以正確的觀念與選擇的方法。如果確定是不好的產品，則會嚴詞提醒病家。最後則轉述李鳳山師父所言：「藥補不如食補，食補不如功補！」不要吃了健康產品，就忘了練功。要抗癌成功是要全方位、終身做好身心靈之修練才有可能！

天助人助不如自助

人不是神，都會有恐懼、無助的時候，這時多渴望有人伸出援手。在病房裡我們常常看到有親朋好友協助的病人病情會較輕，而沒有助力，甚至遭遇阻力者往往求生意願低落。每一個人都有不同背景、觀念、想法的親朋好友。當你生病時，有些人是爲情面來看你，禮貌上來慰問你，當你病情惡化下去時，你會體會到來探訪的人愈來愈少，即使至親好友也不例外。難怪俗語說「久病床前無孝子」。如果一向依賴別人慣了，當他們離你而去時，痛苦將與日俱增，情況也可能就會急劇惡化。

我從小一向獨立，無論讀書、工作都是獨來獨往，自己決定自己承擔，很少依賴別人。即使罹患癌症接受治療，我都是自己決定的。不知誰說過這句名言：「當你笑時，大家隨你笑；當你哭時，大家走光光！」我很高興自己能很快走出陰霾，家人都沒有受到牽累，生活如常。而我自己放療期間，天天坐飛機到和信接受治療，治療後隨即飛回台中看診，臨床工作沒有中斷過，只是減少急診與行政工作。

我常常看到一些人生病後就辭掉工作，生活完全依賴家人，當白天家人都出外工作或上學時，自己就一個人在家任由情緒低落、沮喪，加上身體病痛，病情當然只會惡化。我常勸病人千萬不要躲在家裡唉聲嘆氣，即使不工作，也要走出去，不要把自己當成廢人一個。

天助人助不如自助，自助之後才有人助，才有天助。如能更上一層樓，自助又助人，你將會發現大病變小病，小病變無病！

做最壞的打算，盡最大的努力

前面已經提過，能夠醫治癌症的希望，只在病人自己，也就是要自救。如何自救？就是做最壞的打算，盡最大的努力。

名作家曹又方女士是一位抗癌成功的卵巢癌病人。罹癌之後，她寫過兩本書，一本是她生病的故事，一本是食譜。大家都去買她的食譜，以為她抗癌成功是因為她吃了獨特的抗癌餐，事實上她能戰勝癌症，最主要的原因是她早已

許醫師抗癌加油站

我常常看到一些人生病後就辭掉工作，生活完全依賴家人，當白天家人都出外工作或上學時，自己就一人在家任由情緒低落、沮喪，加上身體病痛，病情當然只會惡化。我常勸病人千萬不要躲在家裡唉聲嘆氣，即使不工作，也要走出去，不要把自己當成廢人。

看開生死，甚至生前就辦過告別式。尤其是在她書中寫過一句至理名言：「今天是我生命的最後一天，也是第一天！」

既然是最後一天，著急恐懼都沒有用了，乾脆心靜下來，安祥等待時候到來。如果僥倖沒死，第二天看到太陽，內心就充滿著感恩，因爲生命又多了一天。大多數的癌症病人剛好相反，每天都覺得少了一天，離死神更近了。我每次都勸癌症病人要學曹女士，過「多一天」的生活，接著我會請他們「做最壞的打算，盡最大的努力」。

我們見到社會上有太多剛好相反的人：做最好的打算，付出最少的努力。所以一窩風去買彩券、去算命、去求神問卜，當期望落空，就怨天尤人。癌症病人回診時，也都抱著極大的期待，希望追蹤檢查結果是正常的或腫瘤縮小了，即使是只小〇・一公分也高興，但如果醫師說指數又高了或腫瘤大了〇・一公分，馬上全身癱軟，走不出去。一位罹患乳癌的家庭主婦就是這種情況。她手術後原本情況穩定，可是有一天來電時緊張到語無倫次，因爲回診時醫師告訴她癌指數升高，有復發之可能，要考慮化療，她說她緊張到回家都無力去牽孩子的手。我一再開導，好不容易才讓她安靜下來。

如果我們能做最壞的打算，即使眞如預期的壞，也因爲心裡已經做好準備，已經接受了，就不會慌張到不知所措。接受了，就不會苦，加上做最大的努力，告訴自己已經盡力了，心就會安了。我們不是無奈的去接受最壞的結果，相反的是積極的去面對，做最大之努力。抱持這種想法、做法的人，結果常常是出人意料的好，你相信嗎？

第5章

成功與失敗

很多癌症病人都說病好後要發願做好事，他們不瞭解發願是可以治療癌症的，要發願就從今天開始。我早已發願要終身做梅門氣功之志工，終身爲癌症病人服務，身體在死後捐給醫學院做大體解剖或病理解剖。

生機換生機，先知李秋涼

在生病之初就聽說了李秋涼女士的故事，印象非常深刻，有一次我打算辦個癌症研討會時，馬上就想到邀請她。經人介紹與她聯絡上，有天下午我開車到南投去登門拜訪，沒想到她是住在深山裡，我邊開車邊用電話與她連絡，到了山裡電話不通了，只好到處問路。開了近三小時，從有路開到無路，開到她家門前時竟然不知道已經到了。

李女士是一位奇女子，她四十餘歲時得到膀胱癌，在榮總經過一次長達十餘小時的大手術後撿回一條命，但也成爲一個沒有膀胱的人。她是一位虔誠的天主教徒，曾祈禱天主能讓她活到六十歲，今年她剛好滿六十歲，因此她認爲每一天都是天主賜給她的。

罹癌之後她走上生機飲食之途，曾經舉辦過無數場生機飲食體驗營，更出了《生機換生機》一書，感動了無數病友。她有一位默默幫助她的「賢外助」黃老師，這對神仙美眷每週巡迴台灣各地演講、辦活動、鼓勵病友，過著健康快樂的生活。他們住在世外桃源，吃自己種的菜、喝清涼的山泉水，每天日出而做、日落而息，清晨更在山林的鳥語花香中鍛鍊氣功。癌症對她而言，早已經遺忘了。

李秋涼女士是抗癌成功的好例子，不僅生病之後遠離污染，更長期食用生機飲食，加上篤信天主，有堅強的生命力，更有無窮的慈悲力與智慧，這就是她成功的地方！

佛力、自力、他力

林小姐原本是一位健康快樂的人，有恩愛的先生與幸福的家庭。四年前她發現左乳房有腫塊，到醫院檢查證實是乳癌，同時又發現腹腔也有一個很大的腫瘤，極可能是卵巢癌。她六度被推進開刀房，但因種種問題，如麻醉、檢查不全、醫師對於先治療哪一個腫瘤有歧見，結果都開不成。一再拖延的結果是腫瘤大到無法手術了，最後她決定不再接受醫院的治療。

半年前在一次偶然的機會遇見她，看她兩眼有神，神情輕鬆，原以爲她只是一般乳癌病人而已，沒想到仔細一看差點昏倒，因爲她的乳癌已大到像一個籃球那麼大，而且表面已潰爛流膿，肚子還可以摸到一個至少三十公分直徑的大腫瘤，這樣子的病情誰都可以輕易判斷她活不過兩個月，但是她卻已經活了四年多。

與林錡菁小姐合影於自然醫學診療中心。

她是怎樣做到的呢？

她說得好：「我是借助佛力、自力與他力。」

她告訴我她只做了四件事：一是皈依星雲大師成爲虔誠的佛教徒，二是吃眞正的有機素食，三是服用高科技的ATP細胞食物，四是喝乾淨的水。與林小姐的接觸，使我更進一步瞭解到「與癌和平共存」的眞諦。雖然她的腫瘤大到如此不可思議的地步，但是卻能正常生活，顯見其五臟六腑都是好的。

有一次她來到我的自然醫學診療中心接受生物能醫學檢測，發現她四十點經絡竟然都正常，我還以爲儀器有問題，事後她說檢測前半小時剛剛服用ATP細胞食物。我要求她禁食任何健康產品一天，隔天再來檢測一次，果然經絡都呈現過低（陰）情形，由此可證實ATP細胞食物確實有提升免疫力與補充元氣的功效，四年來她都是靠著它來維持正常的體力。

林小姐常來我中心做義工，有次她南下佛光山參加一次盛大的佛事典禮後竟一病不起。她先生告訴我由於連續三天的禮佛使她上腹部非常疼痛，不僅無法起身且一翻身就痛到滿身大汗。我打電話問候她，才知道四年來她不僅每天要花上幾小時來處理她的乳房傷口，而且需強忍腹部的疼痛。這次因為連續跪拜之後，造成腹部巨痛，使她必須臥床休息。我問她是否要用嗎啡止痛，她一口回絕。

三星期後她又出現在我的中心，神情依舊只是行動稍慢。她的意志力與堅持使她不被癌症疼痛擊倒。我對她真是佩服得五體投地，與她一比，我的抗癌經驗真是不值得一談。從那時起，一遇到頹喪的癌症病人我就以林小姐為例來激勵他們，甚至大聲說：「看看她，你們還有資格自我憐憫嗎？還有時間抱怨嗎？」、「拿出勇氣與毅力，與癌共存！」、「她能，你一定能！」

道證法師

在我生病住院期間，不知什麼人送我一本《癌細胞可以變成快樂的佛細胞》，外觀看來是一本典型的推廣佛學的書，作者是道證法師，我原本不在意，因爲這類書我一向不看的。沒想到當我翻開之後，竟然發現作者不僅是一位醫師，而且是一位罹患卵巢癌的化療科醫師。她自己在罹癌之後，拒絕任何治療而皈依佛教，變成一位傳佛學的法師。一位她的女弟子告訴我，道證法師身懷一個大腫瘤，天天禮佛數千次，她獨創一個禮佛的方式：「拜佛引發徹底呼吸，橫隔膜強力收縮、放鬆，誘導丹田呼吸；吐盡陳積廢氣，吸入清靜佛氣！」

書中特別提到情緒影響免疫功能，生氣猶如服毒，念佛勝過吃補。徹底的解毒，須由心念下工夫，心念改變，身體物質亦改變。科學研究告訴我們，當人快樂時，腦子也會分泌出化學物質腦內啡與安可發靈（Enkephalins）。前者可增加體內免疫細胞之數量，後者能增加其防疫功能。能常法喜，能心念轉變者，自然使大病變小病，小病變無病。

法師又說：「癌不驚人，人自驚！」的確，當醫師宣布你得癌症時，你是不是被嚇得一身冷汗，全身無力？這前後不到一分鐘，你身體癌細胞能增加多少？癌能一瞬間讓你如此崩潰嗎？這一切都是恐懼而來。心念的轉變是重獲健康最主要的關鍵。

醫學研究告訴我們，在實驗室培養癌細胞時，當給以良好條件之下，癌細胞會回轉成正常細胞的。抗癌鬥士李豐醫師是一位病理學專家，她也提到從顯微鏡下的細胞狀況可以瞭解一個人健康狀況。當看到細胞呈現死氣沉沉的樣子，她到病房去看這個病人的確是一副要死不活的樣子。相反的，當細胞呈現很活耀的時候，這位病人也是神采奕奕。

原本我想找個機緣見法師一面，但是就在我罹癌住院那一年，她往生了。法師罹癌後活了十七年，而通常不治療的卵巢癌活不過一年！雖然來不及見法師一面，但是老天似乎指導我要延續道證法師的精神。她走了，我癌症也得到控制了，我買了很多她的書贈送給癌症病人，但是很遺憾，大多數癌症病人並未受到感動而重獲健康，然而我並不氣餒，能救一個就算一個。

很高興得到癌症的病人

我所接觸到癌症病人都是一臉恐懼、無神、喪氣的樣子。即使病情穩定的病人，或多或少以也會顯現出不安的神情，但是有二位病人竟然一見面就表示他們很高興得到癌症。

第一位是位中年婦女，自己前來我門診看頸部疼痛，一開始並不主動表明她是乳癌患者，等問診時才透露出來。她很輕鬆而簡單的描述二年前罹癌與治療的過程。當她說很高興得到癌症時，令我十分驚訝。原來她是一位被婆婆打壓長達十年的好媳婦，先生是一位孝順的乖兒子，無法保護她。在家裡她永遠毫無地位、逆來順受，有話不可說的，骨子裡卻是滿腔怨言。她默默的承受，直到被診斷出罹患乳癌的那一天。

生病的是她，但是最恐慌的是卻是她婆婆與先生，因爲他們以爲她快死了，以後家裡大大小小事情沒人處理怎麼辦？而她想既然快死了，我還怕誰呀，從此她不再任人擺佈，選擇過自己的日子，她一邊接受治療，一邊快快樂樂的過日子，兩年來身體健康，精神愉快。

第二位是一位女強人，與人合夥做生意，賺了幾億，然而好景不長，遇到不景氣生意一落千丈，又被合夥人倒債幾千萬，最後落到必須跑路躲討債公司。由於生活緊張，精神壓力極大，不僅天天吃安眠藥，又一度尋短，不幸這時候又被發現腹腔長了一個卵巢癌。一般人面對這種逆境，一定是身心崩潰，然而在絕望之時，一位虔誠信佛的好友適時給予開悟，她終於大徹大悟，皈依佛學法師，從此放下所有事業與錢財，重新生活。當她出現在我的癌症座談會時，神情愉快得根本不像一位遭逢身心折磨的癌症病人，她說她很高興得到癌症，因爲癌症讓她面對生死，讓她得到置之死地而後生的勇氣，重新開始。

與這麼多癌症病人接觸，使我瞭解到癌症都是發生在一個人身心長期遭逢污染、壓力、煩惱，免疫力降低的時候。一旦病人能大徹大悟，面對生命，重新生活，病情立刻得到控制。這比回到醫院接受痛苦又無效的化療所得到的效果，眞有如天壤之別。

他們重回醫院，都失敗了

在辦了十餘場「跳出陰霾，健康快樂」癌症座談會後，原本以爲很多人會跳出陰霾，重拾健康，但最近一年我追蹤至少一百位病人，結果卻令我非常失望，因爲他們都回醫院去治療，結果都失敗了。

在座談會上他們都很贊同我的自然療法，都很想仿效，但一回去就完全走樣。一種病人是被一些推銷員的胡言亂語所迷惑，以爲某種產品可以有效治癌，於是花了大錢又延誤病情。另一種病人是回醫院檢查後，在醫師的壓力下，又接受手術或化療，結果是身體受到極大之傷害，免疫力驟降，拖一陣子後就往生了。

一位年輕人罹患肺癌第三期，來找我時除了一些咳嗽外並無身體不適，由於無法開刀，醫院安排放療與化療。記得第一次來時由於緊張憂鬱，神情非常僵硬，加上治療使得臉部手腳皆翻黑，經我的開導與採用自然療法，往後幾星期精神逐漸好轉，來時有說有笑。這位病人生病前應酬極多，菸酒不離，生病後徹底改過，完全採用我的自然療法，同時接受為期十次的生物能療法。當時大家感覺他病情逐漸受到控制，都為他感到很高興，哪知某日他太太來電說，因為胸腔積水回醫院抽水，醫院說很簡單，抽一抽就可以回家了。兩星期過去仍然沒有他的消息，經電話聯繫，他太太說醫院為防止積水再度發生，建議開胸，施行肋膜沾連術，我一聽立即建議拒絕手術，但是他太太說長輩極力贊成，她沒辦法作主。又過兩星期，他太太又來電，電話那端傳來一陣哭聲，說她先生已經進入加護病房，插管使用呼吸器了。我一聽心就沉了一大半，加護病房感染率是非常高的，化療癌症病人免疫力都非常差，一旦感染只有死路一條。果真又過了一星期，她太太再度來電說先生已經眼白泛黃，全身水腫，手指翻黑，醫師已暗示家屬準備了。她焦急的說：「許醫師，現在轉院給你有救嗎？」此時我已經無能為力了。

一位彰化市的女老師，約三十多歲，一日來電緊張而頹喪的說她罹患了胃癌，不知如何是好，我建議她到台北再檢查一次，並隨時與我聯繫。兩星期後她從病房裡打電話來，告知經胃鏡切片再度證實是胃癌，明天就要手術。我建議她與外科醫師討論不要作胃全切除，因為沒有了胃以後生活上後遺症將會非常多。手術中醫師發現腫瘤已經黏連到腹腔後壁，無法切除，主刀醫師判斷腫瘤很快就會塞住胃的出口，而使病人無法進食，所以當場只做了腸造口，以便術後作為進食之用。

術後病人知道病情後情緒幾乎崩潰，不僅無法從口進食，即使經由腸造口也只能灌水而已，因為食物一進去就想吐。一個月之後這位女老師回來找我，整個人形容枯槁，讓我嚇了一跳。安排住院後，我與她詳談溝通，等病人心情穩定後，我立即積極安排一連串的自然療法，包含從口食用有機流質飲食，加上醫院的腸造口管灌飲食，每天兩小時的梅門氣功、樟芝、精力湯、電解水，一星期之後她已經可以到病房外散步，兩星期後出院時已經可以吃素食水餃，體重也增加兩公斤，還計畫好要回去工作了。

但是不到一個月這位女老師又回來找我。經我詳細問診，瞭解到原來她離婚後的一些家庭、經濟、孩子教育等問題帶給她很大的壓力，加上工作也不順利，導致心情沮喪。第三次住院已經是半年後了。這次相當嚴重，因為她完全吃不下任何東西，噁心嘔吐，而且心情極度不安。我安排一些檢查，結果顯示癌症雖然還在，但並沒有惡化，癌指數都在正常範圍內。我勉勵她繼續練功作好身心靈修練。但由於心情愈來愈緊張，食慾愈來愈不好，最後她竟然決定轉院去接受手術了。之後她轉院到一家醫學中心，馬上被安排手術，之後就住進加護病房，兩個月後就過世了。

很多癌症病人回醫院後的最終結果都是如此，但是大家還是要回去，爲什麼呢？

阿貴的故事

第一次知道阿貴的故事是十年前，一位朋友送我一卷購自教會的錄影帶，看完之後非常感動，後來我曾在醫院放給醫護人員欣賞。

故事發生在一九九三年的新加坡，鏡頭一開始是一對俊男美女結婚，親朋好友歡歡喜喜慶祝。新郎就是阿貴。一星期後蜜月旅行還沒開始，阿貴發現鼻子流血，以爲是感冒，到醫院檢查沒想到竟然是鼻咽癌，這對原本生活在天堂、人人讚美的新人一下子跌進地獄裡。

醫院為阿貴安排很緊湊的放療與化療，但治療效果很不理想，腫瘤加速長大，不到半年就擴大到整個臉部，讓他從一個美少年變成鐘樓怪人。由於放療使得組織也腫脹起來，阿貴臉部皮膚不僅潰爛劇痛，嘴唇口腔也紅腫到難以進食，每一次都是由老婆很有耐心的一小口一小口餵他，每一次吞嚥都帶來巨痛，但阿貴卻從不抱怨，從不喊痛，相反的卻常面露微笑，安慰傷心的家人。

由於病情持續惡化，而所有治療方法都已經用了，醫師暗示家屬要有心理準備。正當家屬不知要如何開口告知阿貴的時候，阿貴卻主動要求停止治療回教會去，因為他冥冥之中聽到上帝的聲音，要他代表上帝出來做見證。從此阿貴天天出席各個教會向所有教友說出上帝的話：「神愛世人！信祂的人必得永生！」

故事最感人的是阿貴說了一段話：「一般癌症都是長在身體裡面，別人看不到。我的癌症是長在臉上，人人可以看得清楚，因為大家看得見，我的見證就會發揮最大的效果，這是上帝特別的安排。」

果真是上帝的安排，由於阿貴勇敢的事蹟，真誠的見證，讓大家認識了耶和華。阿貴所到之處萬人空巷，很多很多人走進了教會，信了耶穌基督。更難能可貴的是，阿貴的父母原本很不喜歡媳婦，若不是阿貴堅持，他們當年是不可能結婚的。生病之後，阿貴家人更認為是媳婦帶來的厄運，更加排斥她，但是當看到阿貴勇敢站出來見證，而這位媳婦無怨無悔的陪伴在旁，日以繼夜的照顧他，讓他們感受到愛的偉大，終於接納這位媳婦。大家一起到教會不斷的禱告，祈求神的祝福。兩年之後，阿貴終於蒙神的感召，回天國了。

雖然事隔十年了，我卻永遠忘不了阿貴。在我出來輔導癌症病人時常常講述阿貴的故事，放錄影帶給癌症病人看，希望藉由阿貴的見證能鼓舞病人勇於面對癌症。但有一次一位鼻咽癌的病人看完錄影帶之後卻罵起我來，指責我為什麼給她看這個「可怕」的故事。她來參加癌症座談會原本是期望能得到仙丹治好癌症，沒想到我卻放阿貴的錄影帶，讓她心生恐懼，以為不久她將如阿貴一樣變成鐘樓怪人，甚至死亡。

一樣的故事，在新加坡可以感動千萬人，在台灣卻嚇壞了這位病人。人的心念如此不同，有人就是不具慧眼，即使神已經來到她身邊，準備救她了，她卻視若無睹。你呢？

感性十足的劉老先生

劉老先生，七十八歲，小學老師，服務教育界超過五十年，桃李滿天下。兩年前他罹患大腸癌接受過手術與化療。那年他聽到我的演講而開始茹素，喝電解水，選用一些抗癌食品，也到梅門練功半年。兩年來生活很正常，直到九十五年夏天被發現癌症復發。他回醫院化療，第一次化療就讓他全身酸痛、發高燒、嘔吐，嚴重的副作用使他逃離醫院。

家屬來電希望我能提供協助。剛巧老先生的小女兒在台中教學，於是安排老先生住進我的希望病房。住院檢查發現癌症已擴散到整個腹腔，且有大量腹水，病情已經到了末期，西醫是無法治好他的，只有住進安寧病房一途。住院期間我積極安排各種自然療法，尤其是每天兩次共四小時的生物能排毒、補氣治療，必要時做腹腔穿刺抽腹水，同時補充大量天仙液、ATP細胞食物、有機素食餐，加上天天練功，一星期後他很高興的回家，以後每星期定期回診。過了兩個月情況有點惡化，再度住院。

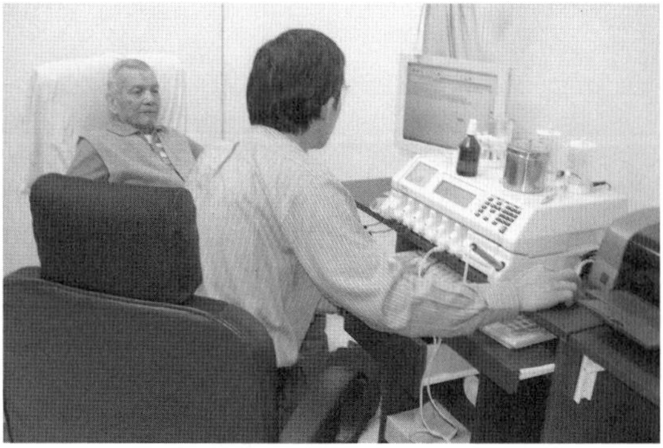
感性十足的劉老先生，生前接受生物能療法。

這次他面容憔悴，消瘦不少，我再度積極給予協助，除了所有自然療法外，再加入醫院所有補助療法，如注射高蛋白、抽腹水等，同時又加上化療生物能療法（將化療藥物放入生物能儀器將之轉換成能量，放大二百倍再以正波傳輸給病人）。每次他來治療時，與他閒聊，當他談起過去時常會不知不覺落淚。

他是一位很盡責的好老師，很感性，但也有時會情緒化，有三個乖巧又孝順女兒，都是老師，三位女婿也都是爲人師表，一家總共七位老師。他們分住各地，但常常來看老先生，他的老伴也非常風趣，見人就微笑。全家不僅都是高等教育份子，更可貴的是互相關懷與體貼，真可說是神仙家庭，難怪我問老先生怕不怕死時，他毫不猶疑的回答說這一生過得很愜意，孩子們都很上進與孝順，已經心滿意足，哪會怕死？

所有的努力都做了，老先生的病情卻逐漸惡化，但他一點都沒有痛苦的樣子。終於一天呼吸急促必須插管，經家屬同意後，我選擇做氣管切除，因爲比較不會痛苦。老先生似乎知道時候已到，微笑看著大家（氣切之後無法講話），更在紙上寫著「要感謝許醫師呀！」

他們全家是很虔誠的西藏密宗信徒，在最後三天，全家圍在老先生病床旁，不斷唸著佛經，直到老先生往生。在移靈時，老先生穿著很體面的藍袍，身上披著遠從西藏寄來、經過一位仁波切大師祝福的黃衫，臉部表情很安詳，家屬沒有哭哭啼啼，反而歡喜的說：「老先生高興的走了！」

電腦新貴，罹癌後趴趴走

有位電腦新貴平日忙於電腦程式設計與客戶之服務，工作非常忙碌，常常熬夜，飲食也很隨便。九十四年八月一次腹部劇痛，被家人送到一家醫學中心急診處，診斷出是盲腸腫瘤導致急性腸阻塞，經緊急手術切除一大段大腸與小腸，裝上暫時性人工肛門，總算穩定了病情，但是醫師卻告知因爲已經有腹腔轉移，生命只剩三個月，病人與年輕的太太當場抱頭痛哭。

手術後他被安排十二次的化療，到第七次時受不了副作用，轉診到我診療中心來，當時他一臉驚慌、全身緊繃，經我開導與說明後情緒稍微放鬆。之後他完全接受我的自然療法，包含有機素食、電解水、練功、天仙療法、ATP療法以及生物能療法等。每週一次回診時，情緒、精神一天天好轉。我鼓勵他回公司上班，不要躲在家裡，更不要把自己隔離起來。一個月後，他終於決定停止化療並且回去上班，同時利用假日與太太到處旅行，放鬆心情。兩個月後，十次共振療法做完，我安排一次徹底檢查，竟然找不到任何癌症蹤影。這是一個非常成功的病例，成功原因非常簡單：心念轉變及落實自然療法而已。

四姐之死，讓我震驚

我有四個姐姐，四姐和我長得最像，個性也一樣好強。她第一次大學聯考考上輔大哲學系，第二年想重考音樂系。考前半年她天天開夜車，且勤練鋼琴，一練就是五小時，終於如願考上師大音樂系。大學畢業後她經人介紹認識一位榮總的神經科醫師，後來他成為我姐夫。四姐夫溫文儒雅，是個愛家的標準好丈夫。

四姐婚後生了兩個兒子，家庭生活非常美滿。由於生活不虞匱乏，四姐沒有外出工作，在家裡教鋼琴，同時又學習插花與瑜珈，十多年來竟成為一位傑出的插花專家與瑜珈老師。

九十二年十月正當四姐忙於她大兒子的婚禮時，覺得腹部脹脹的，到榮總檢查，竟然是膽道癌。原本要手術，但從腹腔鏡中看到腫瘤不小且已擴散，醫師認為不適合開刀，建議化療。我知道之後立即告訴她我的自然療法，四姐也很聽話，馬上開始加入梅門氣功，勤練氣功以及大量喝優質電解水，吃靈芝、花粉。這時病況還好，但是開始化療後身體狀況就完全走樣。化療使她身體虛弱、食慾不振、氣色很差，在兒子婚禮中她也躲躲閃閃的，不想見賓客。當時我曾建議她不要再化療，但是決定權在她自己。

她繼續化療半年，直到九十四年五月，我去看她時嚇了一大跳，她簡直變了個人：身體極度消瘦、精神不佳、膚色翻黑，這完全是化療的結果。我心好痛，我多期望她有勇氣不接受化療，但是不可能了，也太晚了。

化療後她再度到醫院檢查，腫瘤不僅未消失且長得更大。那時起她的身體極度惡化，不得不數度進出醫院，到九月腹水出現，病情已完全失控，十月初接到姐夫的電話，說四姐已住進安寧病房，恐怕無法出院了。十月底姐夫再度通知我四姐一度昏迷，要我去看她，我趕到病房時看到四姐已經瘦到皮包骨了，兩眼完全塌陷入眼窩裡。我走到床邊時她看我一眼，用右手跟我握手。我不知要說什麼，只問她身體有什麼病痛？她沒回答，我告訴她希望她心裡平靜，生老病死是公平的，只是早與晚而已。姐夫與兩個兒子都在床邊陪她。三天後她走了，走得很平靜。

四姐之死讓我對癌症的認識更深一層，我分析四姐罹癌的原因可能是以下三點：

- 長期服用荷爾蒙治療更年期，現在已有醫學報告顯示，長期使用荷爾蒙會致癌。
- 插花時長期使用各種亮光漆或噴劑，這是致癌物。
- 生病前正忙於兒子的婚禮，過度勞累以至免疫力降低。

從一開始四姐就完全遵照我的自然療法，但竟在一年內往生，爲什麼？我仔細分析可能是以下三點：

■她罹患的是極惡性的膽道癌，發現時又已經不小，無法手術了。

■化療不僅無效，更讓她形體日漸敗壞。

■罹癌後她幾乎完全遠離朋友、放棄工作，把自己鎖在一個小空間裡。

從四姐之死使我更相信下面幾件事：

■只接受醫院的化療、開刀、放療，絕對是死路一條，而且走得非常痛苦。

■雖然四姐也天天練氣功，但是她躲在家裡練，遠離外界，自我封鎖，沒有把心練開。我常常勸癌症病人千萬不要自我封鎖，必須繼續工作，只是不能太累。絕不要把自己看成是將死之人，無用之人，整天被恐懼憂慮等種種負面情緒包圍。

■治療癌症最重要的是生死看開、杜絕身外污染與內心之負面情緒，進而如師父所言要發大願。發願可以忘記自己，忘記癌症，甚至可以提升自己，增強免疫力，發揮無比的生命力。

很多癌症病人都說病好後要發願做好事，他們不瞭解發願是可以治療癌症的，要發願就從今天開始。我早已發願要終身做梅門氣功之志工，終身爲癌症病人服務，身體在死後捐給醫學院做大體解剖或病理解剖。

肝癌患者，有幸與不幸！

肝病是國病，所謂肝病三部曲就是肝炎、肝硬化、肝癌。台灣人口約有百分之十五，也就是說至少有三百萬人罹患或曾經罹患各種肝炎，其中有多少比例會轉變成肝硬化與肝癌？根據衛生署九十三年之統計，癌症是台灣地區十大死因的第一位，而死亡率最高之癌症就是肝癌，一年有超過七千人死於肝癌。

儘管政府、衛生署與很多機構都在呼籲早期診斷，早期治療，但肝癌病患還是愈來愈多，死亡率也愈來愈高。三姐夫是肝病專家，他窮畢生之力研究肝病，與三姐兩人天衣無縫的搭配，發展出全世界唯一全國性的肝炎預防注射，幾年下來，肝炎罹患率已經有顯著的下降，希望再過幾十年肝炎能得到控制，進而減少肝癌之發生。這幾年下來，有六位肝癌患者令我印象深刻，其中有三位是醫師：

一位是六十一年次的台大醫師，B型肝炎帶原者，平常很注意身體保養，更定期接受檢查，沒想到依然得到肝癌。他在台大醫院醫治，沒想到一化療立刻引起肝昏迷，不到三星期就往生了。

第二位是一位中醫師，接受栓塞後不到四個月就走了。

第三位是醫學中心的名醫，在很偶然情況下發現罹患肝癌，接受標準的醫療：手術、化療、栓塞等，歷經七年辛苦的抗癌過程，依然失敗了。

另外三位患者，有幸與不幸：

第一位是一位八十五歲的老先生，身體一向很健康，每天清晨都到公園練氣功，講起話來聲音非常宏亮。他當眾表演自創的氣功，身體柔軟的程度令人驚訝。前些日子老先生去體檢，沒想到腹部超音波掃出一個十五公分大的肝癌，醫師說必須手術，否則生命只剩幾個月。老先生不想開刀，內心很矛盾，所以來看我尋求第二意見。我與他的對話如下：

問：「你身體哪裡不舒服？」

答：「沒有呀，能吃能睡，天天都在練功。」

問：「你年紀很大了，對你一生有無不滿意、不高興或懊惱的地方？」

答：「沒有，過得還算愜意，孩子都很孝順，很滿意了。」

問：「你知道你得了肝癌，醫師說要開刀，不開刀後果不堪設想，你會害怕嗎？」

他猶豫一下說：「我不會害怕，但是醫師卻嚇我，說不開刀會怎樣怎樣……，所以我不知怎麼辦。」

到此為止，我斬釘截鐵的說：「老先生你沒有得癌症，是那位威脅你開刀的醫師得了癌症。」

老先生一聽我的話，精神馬上來了，說：「對！頭殼壞了才去開刀！」

老先生與家人高高興興走了。我終於放下心來。如果老先生真的接受開刀，後果才真是不堪設想。我實在想不通為什麼這位醫學中心的大醫師硬要開這個刀？如果病人是他的父親，他會這麼堅持嗎？

第二位患者得到瀰漫性肝癌，栓塞失敗後帶著三百萬到對岸的天津換肝，在醫院待了近三個月之後，拖著一身皮包骨和滿肚子刀疤回到台灣。回台後一方面服用抗排斥藥物，一方面每個月到醫學中心施打所謂「預防性化療」。半年不到，因為全身酸痛、兩腳無力，到醫院檢查，發現癌症已侵犯到頭骨、脊椎、肝臟、肺部等，醫師告知來日不多，要準備了。家屬走投無路，看他無時無刻不在叫痛，只好天天將病人送到急診處打嗎啡止痛。一位善心人士介紹他來找我尋求自然療法，初診時看到這位病人滿臉痛苦，只能走幾步，眞不知如何幫助他？跟他深談近一小時，我要求他必須置之死地而後生，交代完後事才讓他住進「希望病房」。住院後儘管大家熱心幫助他，鼓勵他，但他中毒已深，幾近絕望地步，走筆至此他已經兩腿癱瘓，在家等待那天的到來。

從這個故事令我想起台南的文章師兄，他也是一位B肝併發肝硬化的患者，兩年前發現罹患肝癌，接受手術後不到半年被發現復發成瀰漫性肝癌，醫師明白告訴他無藥可治，只有換肝一途。他準備了兩百萬要到大陸換肝，當時胎兒蛋白高達一萬七千九百 **ng/ml**（正常值在二十 **ng/ml** 以下）。九十三年四月間他在梅門到台南舉辦的「全民健康甩 甩出幸福來」的公益活動中，聽到我的見證後，當下改變主意，放棄換肝念頭加入梅門專心練功，同時配合吃素、喝好水、發大願。半年不到，同年十一月間到醫院複檢，胎兒蛋白降至五 **ng/ml**，超音波掃描肝癌竟然完全消失。當時醫師還以爲看錯資料！

從以上幾例可以清楚知道，遵從醫院的治療，結果可能是既痛苦又失敗。

換肝呢？換肝之後須終身服用抗排斥藥物，免疫力已經被破壞了，而醫學中心的大醫師又給予所謂「預防性化療」，讓病人免疫力更低，當然癌症很快就復發了。若走上自然療法，結果有可能是輕鬆愉快又成功的。這不是醫師所認爲的只是奇蹟或個案，而是病人腳踏實地努力的結果！

結語

感謝老天，我得了癌症

罹癌三年來，很認眞的執行自然療法，適度的西醫治療、有機素食、飲用優質的電解水、勤練梅門養生術，有科學根據之健康抗氧化抗癌食品與發大願，如今身體一天天好轉，每天精神愉快、健康快樂。自己感覺，每天努力一點點，累積下來，竟然產生以下身心靈之巨大改變，：

■ **身體由燥熱轉變成平溫**：過去身體體溫一向比別人高，當與別人接觸時如握手，別人常驚訝我過高之體溫，還有運動之後都是以冷飲解渴，夏天一到，每天至少沖冷水澡三次，如今身體不再躁熱，冰品可樂也下不了口。

■ **體重下降，白髮減少，皮膚不再油膩，黑眼圈也改善了**：一年多來每個月體重下降一、二公斤，從剛生病時七十八公斤降到今年六十六公斤，雖然瘦了但是精神卻好起來。頭髮是一種蛋白質，頭髮的新陳代謝可以反映身體的健康狀況，現在髮質也變好許多。過去我臉部皮膚常常是油油的，因爲皮脂分泌旺盛，年輕時就因爲皮膚太油了以致長滿臉的青春痘，如今吃長素，動物脂肪大量減少，皮膚不再油膩，也由於天天練功加上抗氧化營養素，氣血循環得以改善，黑眼圈也改善不少。

■**放屁與大便都不臭了，而且天天順暢**：由於吃長素、大量喝優質電解水與抗氧化營養素，動物性蛋白質與脂肪不再入口，加上電解水的抗氧化作用，使腸胃維持在最佳狀況，與生病以前大便惡臭完全兩樣。

■**所有動物性食物都無法入口**：九十三年元旦，我受邀回台南縣佳里鎭許氏宗親會聚餐，他們都是鄉下務農人家，在街頭以辦桌子方式聚餐。我因爲吃素預先吃個半飽再去，以免增加人家的麻煩。現場時桌上一道道海鮮，在親友盛邀之下，我禮貌上喝個湯。喝第一口時馬上覺得這魚湯不新鮮了，正當要告訴親友時，卻發現他們吃得津津有味。我突然發現，我身體已經完全不一樣了。

■**心身都柔軟**：生病之時我常常無法彎腰，連穿襪子都非常困難，如今身體變得輕鬆自在，前彎後仰都進步很多，蹲馬步、蝴蝶步都可以蹲到很低，平甩時更覺得愉快而均衡，同時氣機隨時湧現。

幾次遇到昔日醫院同事，他們都很驚訝我判若兩人。過去我是得理不饒人，現在則是理直氣和。凡事有多種角度，每一個人角度都不同、價值觀也不同，未必自己才有理。現在我心靈轉了個彎，眼中看過去都是好人、好景，見面先給人以微笑。遇到別人批評，我不僅不懊惱，更以三種思考回應：如果對方說的是事實，我必須立刻改進；如果不是，我也會感謝他的關心；如果他預測我的病會復發，我也會激勵自己努力去避免。因爲敵人正是最好的老師。

■ **職業變志業**：生病前人生的目標是賺大錢、開大刀、成就功名，現在把職業變志業，努力的方向變成是思考如何減輕病人的痛苦、如何讓病人早日恢復健康。當看到病人病情好轉，一聲「謝謝許醫師」，勝過千百萬！

更重要的是，從現身說法之後，我身心靈大大的提昇。因爲從互動之中，我了解到「大我與小我」的眞諦。站在幾十、幾百甚至幾千人之前，我會覺得自己的一言一行是多麼重要，因爲這麼多眼睛看著我、這麼多耳朵在聽我，無形中一股力量在激勵我，使我不會懈怠、不會懶惰。而這股力量又要求我要不斷反省與檢討，不斷學習與求新。我不斷的在大我與小我之中被感動，內心不斷湧出力量來，讓我忘了癌症的威脅，讓我遠離負面情緒，讓我增長智慧，讓我慈悲心油然而生。

讀到這裡你的感想如何？是想繼續生活在恐懼之中，或勇敢的面對呢？相信你一定會爲自己作出最好的選擇。最後我想說：感謝老天，我得了癌症！

許達夫醫師　自然醫學診療中心

地點：台中市惠中路3段36號林新醫院B1
看診時間：每週一至週五上午9:00~12:00，下午14:30~17:30
服務專線：04-22586688轉1780
專線電話／傳眞：04-36015866
許達夫醫師手機：0910743919
許達夫醫師網址：www.nsshu.com
許達夫醫師E-mail：nsshu@tpts8.seed.net.tw

歡迎加入許醫師癌症及慢性病之友聯誼會

凡是病友、家屬、醫護人員、善心人士、對健康養生有興趣之同好，歡迎加入本聯誼會。期盼集大家之力量，推動健康養生之活動，使未病之大衆獲得正確之健康資訊與養生之道；已病之病友減輕病痛暨早日恢復健康。請填妥下列資料後，傳真到許達夫醫師自然醫學診療中心。

姓名：＿＿＿＿＿＿＿＿＿＿ 年齡：＿＿＿＿＿

性別：＿＿＿＿＿ 職業：＿＿＿＿＿＿＿＿＿＿

地址：＿＿＿＿＿＿＿＿＿＿＿＿＿＿＿＿＿＿＿

電話：(H)＿＿＿＿＿ (O)＿＿＿＿＿ 手機：＿＿＿＿＿

E-mail：＿＿＿＿＿＿＿＿＿ 傳眞：＿＿＿＿＿＿

是否願意當志工：(　　)同意　備註：＿＿＿＿＿＿

國家圖書館出版品預行編目資料

感謝老天，我得了癌症！：許達夫醫師與癌共存之道／許達夫著.
-- 第一版. -- 臺北市：天下遠見, 2006〔民95〕
面；　公分 . —（健康生活；90）
ISBN ：986-417-690-0（平裝）
1. 癌—通俗作品　2. 自然療法

415.271　　95008096

健康生活 090

感謝老天，我得了癌症！
許達夫醫師與癌共存之道

作　　者／許達夫
全書照片提供／許達夫
系列主編／鄭惟和
責任編輯／李宜芬
封面暨內頁設計／劉亭麟

出版者／天下遠見出版股份有限公司
創辦人／高希均、王力行
天下遠見文化事業群　總裁／高希均
發行人／事業群總編輯／王力行
天下文化編輯部總監／林榮崧
版權暨國際合作開發協理／張茂芸
法律顧問／理律法律事務所陳長文律師　　著作權顧問／魏啓翔律師
社　址／台北市104松江路93巷1號2樓
讀者服務專線／（02）2662-0012　　傳　眞／（02）2662-0007；2662-0009
電子信箱／cwpc@cwgv.com.tw
直接郵撥帳號／1326703-6號　　天下遠見出版股份有限公司

電腦排版／立全電腦印前排版有限公司
製版廠／立全電腦印前排版有限公司
印刷廠／崇寶彩藝印刷股份有限公司
裝訂廠／政春裝訂實業有限公司
登記證／局版台業字第2517號
總經銷／大和書報圖書股份有限公司　　電話／（02）8990-2588
出版日期／2006年5月12日第一版
2006年9月15日第一版第10次印行
定價／280元
ISBN ：986-417-690-0
書號：GH090
BOOK zone 天下文化書坊 http://www.bookzone.com.tw

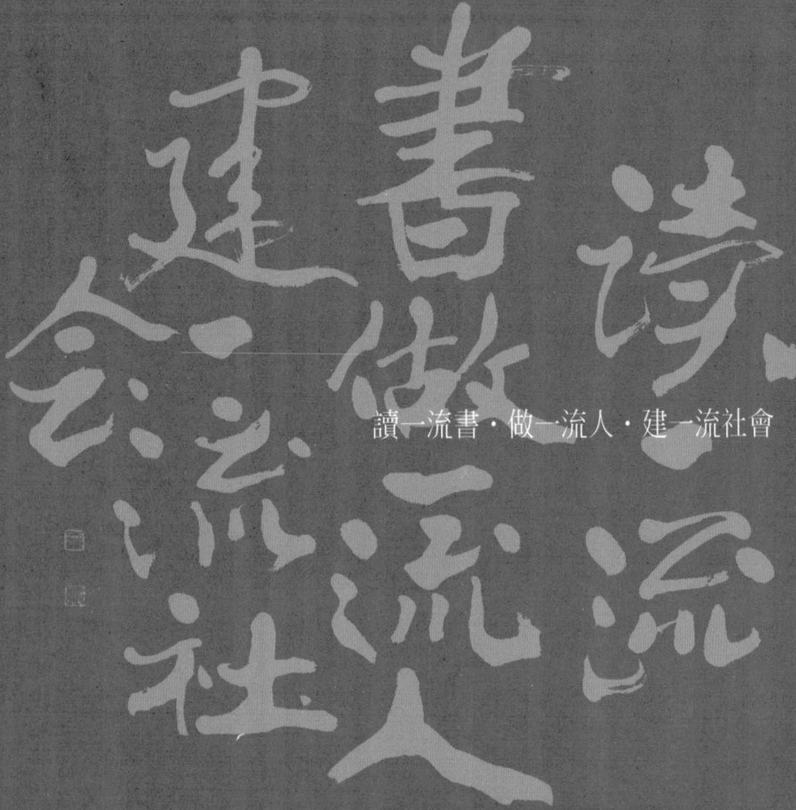

讀一流書・做一流人・建一流社會

題字：名書法家　董陽孜女士